Nadine Descheneaux

Les secrets du divan rose

N° 5

8 histoires d'amour plus tard

Catalogage avant publication de Bibliothèque et Archives nationales du Québec et Bibliothèque et Archives Canada

Descheneaux, Nadine, 1977—

8 histoires d'amour plus tard
(Les secrets du divan rose ; 5)
Pour les jeunes de 12 ans et plus.
ISBN 978-2-89595-524-5
I. Laplante, Jacques, 1965— . II. Titre. III. Titre : Huit histoires d'amour plus tard. IV. Collection : Descheneaux, Nadine, 1977— . *Les secrets du divan rose* ; 5.
PS8607.E757H84 2010   jC843'.6   C2010-941363-6
PS9607.E757H84 2010

Auteure : Nadine Descheneaux
Illustration de la couverture : Jacques Laplante
Graphisme : Julie Deschênes et Mika

La typographie utilisée pour la création de la signature de cette série est la propriété de Margarete Antonio. Tous droits réservés.

Dépôt légal — Bibliothèque et Archives nationales du Québec, 3ᵉ trimestre 2010

ISBN 978-2-89595-524-5

Gouvernement du Québec — Programme de crédit d'impôt pour l'édition de livres — Gestion SODEC
Boomerang éditeur jeunesse remercie la SODEC pour l'aide accordée à son programme éditorial.

Nous reconnaissons l'aide financière du gouvernement du Canada par l'entremise du Programme d'aide au développement de l'industrie de l'édition (PADIÉ) pour nos activités d'édition.

ASSOCIATION NATIONALE DES ÉDITEURS DE LIVRES

Imprimé au Canada

« Ceux qui ensoleillent la vie
des autres éclairent également
leur propre existence. »
James Barrie

Pour Sonia
Merci d'être ma collègue virtuelle
bien réelle, ma première lectrice
fidèle, ma « chasseuse de doutes »
(depuis le tout premier divan) et
surtout mon amie...

Tu es un ou une *fan* des romans de la série *Les secrets du divan rose* et tu veux connaître EN PREMIER quand paraîtra la suite des aventures?

Alors, inscris-toi à la

Web fan

au WWW.boomerangjeunesse.com

et sélectionne   dans

Web fan   La zone COOL

Note à la personne qui tient ce livre...

Pour plus de plaisir au cours de la lecture, quand on parle des huit lettres, tu peux les retrouver à la toute fin du livre. Allez ! Ce n'est pas un secret ! Et plonge dans ce cinquième tome !

Rien

Rien.

R.I.E.N.

R

I

E

N

Il n'y a rien à faire. Rien qui me tente. Rien qui m'emballe. Rien à la télé. Rien dans le frigo. Rien dans ma boîte de courriel. Rien à lire. Rien à faire. Rien. Rien.

Je suis écrasée depuis une demi-heure sur mon divan rose les pieds sur le dossier, la tête dans le vide et j'essaie de trouver quelque chose à faire. Mais la conclusion est facile à tirer : rien.

Je n'ai pas envie de faire des colliers. Zéro inspiration. Rien. J'ai pianoté sur la manette de la télévision à la recherche d'une émission potable. Rien. J'ai cherché un film dans ma pile de DVD. Rien d'intéressant. J'ai écrit à Rosalie. Pas de réponse. J'ai écrit à Emma. Pas de réponse. J'ai écrit à Zoé. Pas de réponse. Personne en ligne pour clavarder. Félix et Sarah sont partis pour un autre de leurs week-ends de ski avec leurs parents. Ma mère n'est pas là. Je ne peux pas aller lui demander comme quand j'étais petite : « Qu'est-ce que je peux faire ? » au cas où elle aurait une idée géniale (quoique, franchement, l'avoir vraiment fait, je me serais autoproclamée un peu désespérée, quand même !). J'ai même fini tous mes devoirs pour la semaine. Lire un autre chapitre de géo ? Faudrait pas exagérer. Il y a des limites à être en avance. Et je n'ai pas sommeil ! Pas fatiguée une miette ! Je suis juste découragée de moi. Il n'est même pas 21 h et je me tourne les pouces – de façon remarquable… je suis une pro – et je m'ennuie solide. Pour un vendredi soir, je te dis que je me trouve divertissante. Ça promet pour le week-end. Je prévois… un ennui total pour les 48 prochaines heures. Les prévisions sont ultra mauvaises sur le canal météo d'humeur de Frédérique.

Vraiment, janvier ici, à Saint-Gilles, c'est plate à mourir. Si la forêt et la rivière sont intéressantes à la fin de l'été et même en automne, là, vraiment, on atteint un haut degré d'ennui. J'imagine qu'au printemps tout retrouve son pep (et j'espère que moi aussi!). Mais, pour le moment, le village est statique. Rien ne bouge. On dirait que le paysage est ankylosé. Paralysé. Il déteint sur moi, je crois, car je me sens ainsi. Je suis engloutie dans la léthargie et si je ne me bouge pas un peu, je pense que je vais prendre racine. Je serai Frédérique la plante verte grimpante qui s'entortille autour des coussins du divan. Bientôt, si je ne fais pas attention, je n'aurai plus de divan, juste une jungle tantôt verte, tantôt fuchsia, plantée en plein centre de ma chambre. Viiite ! Faut que j'agisse.

En ramassant toute mon énergie, je me déplace péniblement jusqu'à la fenêtre. Habituellement, j'aurais sautillé jusque-là. Mais ce soir, je me sens « bouafff ». Très « bouafff ». J'aurais besoin d'« oumpf » dans ma vie et je ne sais pas du tout où je pourrais en trouver. Pourtant, je ne suis ni en colère, ni furieuse, ni triste, ni fâchée, ni vraiment déprimée. Je suis juste « bouafff ». C'est totalement différent ! C'est comme être sur « pause ». En attente de quelque chose. Comme spectatrice d'une pièce de théâtre sans rebondissement. Comme sur une route trop longue, trop droite, trop pareille.

En jetant un regard par la fenêtre, je fais une autre conclusion rapide : je peux oublier l'idée d'aller me promener dehors. En deux tempêtes de neige, on a eu l'équivalent d'à peu près deux mètres d'accumulation (j'exagère à peine !) et il est même désormais totalement impossible d'ouvrir la porte-fenêtre. Donc pour les promenades, il faudrait que j'aille sur le chemin devant la maison, mais c'est hyper passant et les voitures roulent en fou. Et en plus, je risquerais de me faire royalement éclabousser de neige fondue. Je suis encore mieux ici à ne rien faire… je ne serai pas trempée, au moins.

Je retourne donc m'échouer sur mon divan. La tête à l'endroit, cette fois-ci. Mes idées retomberont peut-être à leur place, qui sait ? Pour l'instant, j'ai l'air d'une guimauve fondue qui se répand et qui dégouline partout. Si au moins j'avais quelqu'un pour m'écouter me lamenter… Personne n'est là. Une bonne chance pour eux, finalement. Je me tape moi-même sur les nerfs quand je suis comme cela. Mais il n'y a rien à faire, faut que ça passe… Des éclaircies sur

mon canal météo sont vivement deman-
dés dans un avenir rapproché, s'il
vous plaît !

Ce n'est pas une vraie déprime. C'est…
comment dire… un ennuagement partiel
de mon humeur ! Je me sens à côté de
mes propres souliers. À côté de moi.
Pourtant, tout va bien dans ma vie. Je
suis dans une nouvelle maison (que
j'aime bien, finalement !), ma chambre
est deux fois plus grande que mon
ancienne et contient tout ce qu'il faut
pour me divertir : télé, ordi, chaîne sté-
réo, lecteur DVD, énorme bibliothèque
et divan rose. Ma mère est fantastique.
Vraiment. Elle a un nouveau boulot qui
la passionne. Elle rayonne et est toujours de bonne humeur… quand elle est
là. Bon, je m'ennuie un peu, mais je pourrais avoir une mère totalement pas gentille, toujours sur mon dos pour m'obliger

à ramasser ma chambre ou à accomplir quarante-huit tâches plates dans la maison, mais non ! J'ai trois amies formidables. Le seul grave problème, c'est qu'elles habitent à huit cent soixante-quatre kilomètres de chez moi. Vive Internet et les forfaits sans frais pour les appels interurbains. Mais ce soir, Emma, Zoé et Rosalie sont silencieuses. Pire encore, elles ont disparu. Je les ai appelées tour à tour : aucune réponse nulle part. Elles sont sorties, j'imagine. Ici, dans mon nouveau village, Sarah est rapidement devenue mon amie. En fait, c'est elle qui m'a vite incluse dans sa vie. Une adoption express, quoi. Et en même temps, Félix est entré dans ma vie. Dans ma tête. Dans mon cœur. Bref, j'ai autour de moi six personnes merveilleuses. Vraiment, de quoi je me plains ?

❀ ❀ ❀

Félix ? Il est toujours aussi gentil (mais distant !), charmant (mais mystérieux !), calme (mais silencieux !). Un paradoxe sur deux pattes ! Disons que même si on s'est avoué beaucoup s'aimer, on dirait que ce n'est pas le grand grand amour (comme dans les films, par exemple !). Félix n'est pas un exubérant. Il n'ira pas crier sur tous les toits son amour pour moi. Il est solitaire et je n'arriverai pas à le changer. Et ce n'est pas mon but non plus. On ne peut pas changer les autres... Toutefois, notre couple doit naviguer entre tous nos états d'âme. Il est un super confident. Je peux lui raconter mes pro-jets et mes idées. Il m'écoute sans bron-cher, sans m'interrompre... bref, sans dire un mot ! Ah oui, pour écouter, il écoute ! Il est le meilleur. Si jamais il gagne un trophée, un jour, ce sera celui de la meilleure oreille ! Sans farce ! Par contre, j'ai deviné (je suis une petite vite !) que s'il excelle autant, c'est qu'ainsi il n'a pas besoin de parler. Ça l'arrange, finalement, je crois! Félix n'est pas un grand jaseur. Il m'a appris à mettre du silence et des moments de calme dans ma vie, mais lui il ne s'est pas transformé en moulin à paroles. Oh non! Bon! Il faut dire que je parle souvent pour deux, alors je ne lui laisse pas beaucoup de chances. Mais quand même! C'est un peu comme la rivière en hiver, lui et moi: le courant est un peu gelé. Mais ça ne change rien au fait que je l'aime. Du moins, je pense... Je suis mêlée! Au canal météo, il y a des ennuagements partiels sur mon cœur!

Ma mère – grande philosophe qui distribue des citations, des pistes de réflexion et autres phrases songées aux gens autour d'elle – me répète souvent: «Arrête de te poser trop de questions, Fred!» Beeeeeeen ouiiiiii! Ça s'arrête comme ça, cette petite machine-là dans ma tête ? Ça se met sur pause, cette usine à penser ? Beeeeeeen ouiiiiii ! Il y a un bouton d'arrêt qui, une fois actionné, ralentit la production d'idées ? Beeeeeeen ouiiiiii ! Ça prend des vacances, d'abord, l'imagination ? Bon, peut-être, finalement, car mes idées semblent être parties en voyage puisque j'en ai aucune pour m'aider, ce soir… Habituellement, dans ma caboche, j'ai toujours plein de trucs qui s'entrechoquent. Trop souvent (et au grand désespoir de Félix, surtout !) je pense à mille choses en même temps. À l'extérieur, j'ai l'air d'une fille saine, mais parfois je me dis que je dois être la seule qui a une cervelle qui s'emballe autant. Finalement, il est peut-être normal d'avoir des périodes où je me cherche un peu. Où je suis juste un peu démoralisée. Où les idées n'inondent pas ma vie sans pour autant que je nage en pleine catastrophe de déprime. Je suis seulement

« bouafff ». Tout simplement. À moi de m'apprivoiser (si c'est possible !). Et de remettre du « oumpf » dans ma vie (si c'est possible aussi !).

Je retourne à mon bureau avec l'énergie d'un escargot. J'attrape un carnet et un crayon. Je saisis mon ordinateur portable et le ramène sur le divan avec moi. Je ramasse la grande doudou par terre, avec en prime la manette de la télé. Je sélectionne Musique Plus qui décorera un peu le silence de la maison et m'installe pour écrire mon moment « bouafff » à Rosalie. Au moins, elle me comprendra. Emma et Zoé aussi, mais elles sont dix fois plus occupées que Rosie. Emma continue de filer le parfait amour avec Charles-Antoine, et Zoé, même si son cœur a été écorché un peu avant Noël lorsque Lucas l'a laissée, s'est vite réfugiée… sur les pistes de ski. Elle fait désormais de la compétition et est super bonne. Je suis fière de mon amie... mais pour me lamenter et chigner sur mon sort, je choisis Rosalie. C'est elle la meilleure pour guérir les vagues à l'âme comme les chagrins d'amour...

Trop top! C'est sûrement un signe du destin qui m'annonce au moins deux ans de bonheur sans aucun nuage (je peux rêver, non?): Rosalie venait tout juste de m'écrire un courriel. Il y a des hasards qui me font plus plaisir que d'autres.

Ohhh! Je crois lire ma vie. Rosalie et moi sommes devant un miroir, ou quoi? J'ai l'impression qu'elle se sent exacte-ment comme moi. Exactement la même météo nulle sévit au-dessus d'elle! Malgré tous ces kilomètres entre nous. Juste dans ses premiers mots, j'ai tout saisi. Il faut croire que la mélancolie et l'ennui voyagent merveilleusement bien dans

les courriels. « *Salut, Fred ma guimauve !
J'espère que tu n'es pas aussi "bouafff"
que moi ce soir. C'est super plate, ici.
Emma est au cinéma et Zoé ne se détache
plus des pistes de ski. Je m'ennuuuuuuie !
Et même toi, tu ne sembles pas être devant
ton ordi. J'imagine que tu as vraiment
mieux à faire. Tu dois être avec ton beau
Félix en train d'admirer votre rivière !
Ha ha ! Je te taquine, tu le sais. Tant mieux
s'il te rend heureuse. Je suis contente pour
toi, ma guimauve. Moi, je pense que j'ai
abandonné pour toujours l'idée d'avoir
un amoureux. Ben, pas pour toujours
toujours, éternellement à l'infini ! Simplement pour un (petit) bout (pas trop long,
je l'espère !) en attendant le vrai de vrai
amour. On dirait que je suis bonne avec
le cœur des autres et leurs histoires, mais
que je suis pourrie avec le mien. Ça se
peut, être la spécialiste des amours des
autres, mais pas des siennes ? Je rafistole
le cœur des autres, mais suis nulle pour*

écouter ce que dit le mien ! Un peu comme un dentiste qui aurait la bouche pleine de caries. En tout cas, en attendant un signe du destin ou une illumination-surprise, je vais aller trier ma trousse de maquillage. Avec les sous reçus à Noël, je veux regarnir ma collection de vernis à ongles et, demain, c'est en plein ce que je vais faire. Ça va peut-être m'aider à aller mieux… Qui sait ? Bonne nuit, Frédou ! »

Ça, c'est bien Rosalie ! Du vernis à ongles multicolore pour chasser les soucis et l'ennui. Ce n'est peut-être pas bête…

En fait, ça me prendrait plus que cela. J'ai répondu à Rosalie, lui disant que je me sentais pile-poil comme elle. C'est moyen rassurant ni très encourageant, mais c'est la vérité. Et puis, être amies, ce n'est pas prendre les problèmes de l'autre à sa place, mais bien être sa *cheer-leader* et l'encourager même dans les moments plus difficiles. Alors, mon courriel s'est résumé à une suite de « Go! Go! Go! » exagérément dynamiques pour tromper un peu la vérité.

C'est vrai. Je n'ai pas tout dit. Chut! J'ai omis le bout sur Félix et mes questionnements sans fin. Et j'ai surtout oublié très très volontairement de lui dire que j'avais rêvé à Théo il y a deux semaines. Pas des rêves aussi étranges que l'an passé[1], mais un rêve doux et tranquille. Théo était dans ma nouvelle école, ici à Saint-Gilles. C'était comme avant, mais transposé dans le paysage d'ici. Même Rosalie, Emma et Zoé étaient là. Je pense que je m'ennuie plus que je voudrais l'avouer. Des filles, je veux dire! De Théo? Je ne sais pas si c'est du vrai de vrai ennui. Ce n'est peut-être qu'un souvenir tendre que j'aime me rappeler.

[1] Lire le troisième tome de la série *Les secrets du divan rose – 107 jours d'amour…*

Comme une doudou que l'on traîne et qui nous rappelle des tas de moments heureux.

Évidemment, si je n'en ai pas parlé à Rosalie, je n'ai rien dit non plus à Félix. Ni à Sarah. Ni à personne. Top secret! Et puis, ce n'est qu'un tout petit rêve de rien du tout qui ne veut absolument rien dire. Ce n'est pas comme si je rêvais de Théo tous les jours et que je le voyais dans ma soupe. Je ne connais pas la mécanique des rêves, mais j'imagine que j'ai sûrement dû, une fois, juste comme ça, penser à lui avant de m'endormir et que ç'a suffi pour qu'il apparaisse en plein milieu d'un de mes rêves. Je ne suis pas analyste des songes, moi... Et puis, ça ne veut rien dire du tout. Pur hasard. J'aime Félix et Félix m'aime, voilà tout! Et qui a dit que je suis obligée de tout dire à mes amies? Qui? Je peux me garder un mini jardin secret. Je n'ai pas envie d'en parler... car je sais que Rosalie aimerait trop décortiquer chacune de mes pensées. Allez ! Mon rêve sous le bistouri pour voir ce qui cloche sous les bons soins de Rosalie, la réputée chirurgienne des idées entremêlées ! Oh non merci ! Pas aujourd'hui !

Tiens, je trouve que ma tête se remet à fonctionner beaucoup trop bien ! J'ai de drôles d'images à l'intérieur. Pour freiner le flot de pensées (un peu !), je décide de m'occuper les mains. Ainsi, je devrais (un peu !) moins penser. Enfin, je l'espère ! Alors, même si ce n'est pas une habitude, je décide de me « pouponner » un peu. C'est vrai que ça fait du bien ! Je me masse les pieds avec une crème au pamplemousse, attrape un vernis à ongles bleu – c'est Rosalie qui l'a oublié la dernière fois qu'elle est venue ici… elle a dû faire exprès ! – et me barbouille les ongles d'orteils. Et puis, tiens, ceux de mes mains aussi ! Pourquoi pas ? Il n'y a tellement rien d'autre à faire. Après,

je finirai bien par trouver le sommeil.
Tiens, bleu… comme mon humeur !

Illumination

J'ai dormi. Je n'ai pas rêvé. Rien à signaler. Par contre, inespérément, ce matin, je ne sais pas trop pourquoi, je me sens d'attaque. Le soleil plombe par ma fenêtre, la neige est pleine de promesses. Des fois, je me dis que c'est probablement exactement la même chose qu'hier, mais que je le vois différemment, tout simplement. Comme si je changeais le filtre et que, comme par magie, au lieu de voir tout en gris, je vois un peu plus rose… Tant mieux !

Après avoir déjeuné et rigolé avec ma mère – on s'est fait une pizza aux fruits, ça aussi, ça aide à remettre ma bonne humeur au diapason ! –, je suis remontée dans ma chambre avec l'idée de commencer ma journée avec un changement de couleur de vernis. J'aime définitivement mieux le rose que le bleu. J'ai ouvert grand les rideaux et j'ai laissé le soleil inonder ma chambre. Ensuite, cette histoire de vernis et de filtre m'a fait penser à trouver la symbolique derrière les couleurs. Ça pourrait m'aider à créer de nouveaux colliers. Ceux-ci seraient presque thérapeutiques, finalement. Pourquoi pas ? Une nouvelle idée pimpante, c'est ce qu'il me fallait pour sentir une flamme se rallumer en moi et chasser ma sombre soirée d'hier. Yé ! Je suis bien ainsi ! Il n'en faut pas plus pour qu'un sourire s'accroche à mon visage.

À peine installée, le téléphone a sonné. Interurbain. C'est Rosalie, j'en suis certaine. Instinct d'amies. Et je ne me trompe pas.

— Assieds-toi bien, ma Frédou guimauve, tu n'en reviendras pas.

Analyse 1 : L'humeur de Rosie est à trois années-lumière de celle qu'elle a connue hier soir. Rosalie explose d'une bonne humeur assez évidente. Sa voix atteint des décibels d'excitation facilement repérables.

Analyse 2 : Franchement, on est toujours sur la même longueur d'onde, Rosie et moi, même si on n'habite plus proche l'une de l'autre. Ça m'étonne toujours. Et ça me fait énormément plaisir. Comme quoi on fait joyeusement mentir le dicton « Loin des yeux, loin du cœur ». Nous, tout est resté pareil. Parfois, même, on dirait que notre amitié s'est encore plus intensifiée. On est plus « connectées ». On est à la veille de faire des flammèches.

— Tu as l'air en meilleure for...

— Laisse-moi parler ! J'en ai trop long à dire. Déjà que j'ai attendu un peu avant de t'appeler, tantôt j'étais trop énervée même pour parler.

Analyse : Ça devait être beau !

— Go, ma Rosie, je t'écoute pendant que je fais sécher mon vernis...

— Chut, Fred, que je viens de te dire. Hein ? Quoi ? Du vernis, toi ?

Je savais que je la perturberais un peu avec mon vernis. Hi! Hi! Hi! Bien joué!

— Fred, tu ne devineras jamais!

— Tu as gagné une croisière en Antarctique? Tu es tombée en amour cette nuit? Tu as été choisie pour faire partie de l'émission *Maquille ta vie*? Un prince charmant est apparu dans ta chambre à ton réveil? Mieux, il t'a embrassée pour que tu te lèves avec le sourire? Non! Attends! Tu as trébuché sur un crapaud en allant à la salle de bain, tu l'as embrassé et il s'est métamorphosé en gars de tes rêves? Tu as décidé que tu changeais ta garde-robe? Tu as trouvé le moyen de te débarrasser de tes demi-sœurs? Tu vas déménager ici? Quoi? Quoi?

— Je ne le sais pas trop, mais on dirait que tu me niaises. Un autre truc et je raccroche et tu ne sauras pas ma bonne nouvelle...

— ...

— Fred?

— …

— Fred ?

— Je n'ose plus dire un mot.

— Arrête, Frédou !

— Ben oui, je te taquine ! Go ! J'ai hâte de savoir ! En tout cas, une chose est sûre, on est sorties de notre phase « bouafff ». C'est quoi, ta bonne nouvelle ? C'est quoi ?

— « Notre » bonne nouvelle. Car toi aussi tu en fais partie.

— Ohhhhh ! Ça ne sent pas bon ! Tu as fait quoi ? Tu ne nous as pas inscrites à un concours de danse synchro, car ça va être dur de pratiquer à distance…

— Fred, t'arrêtes-tu un peu ?

— Ah oui, c'est vrai. Promis, je ne fais plus de farce.

Ça doit être le rose sur mes doigts qui me monte à la tête. J'ai le goût de rire. Et jacasser avec Rosalie au téléphone fait partie de ma liste de petits bonheurs qui multiplient ma bonne humeur.

— Bon ! Voilà ! Je ne t'avais pas dit ça... en fait, j'en avais parlé à personne ! Bon, si je n'en ai pas parlé à toi, ça veut dire que j'ai vraiment fait le tout dans le plus grand secret ! J'ai proposé de faire partie de l'équipe du journal de l'école. J'ai écrit une lettre au rédacteur en chef. J'étais bien trop gênée de lui parler de vive voix. Alors, je la lui ai remise presque incognito dans la boîte de courrier à la porte du local du journal, après avoir mijoté le tout durant le congé de Noël. Le premier matin au retour des vacances, je suis allée distribuer mon courrier secret. Depuis, je vivais comme dans l'attente. Je ne savais pas comment Mathis, le rédacteur, réagirait. Je me suis fait mille scénarios dans ma tête. Des catastrophiques et des pas trop pires, aussi. Puis, ce matin, il vient de m'appeler. À 9 h, quand même ! C'est tôt, mais c'est pas grave ! Il a dit oui !!! C'est génial, non ? Je plonge dans un univers que je ne connais pas trop, mais il me semble que ça va être trop *cool*. Tu en dis quoi ?

— Bennn j'en dis que je suis très très très heureuse pour toi, mais je ne vois toujours pas pourquoi c'est une bonne nouvelle pour moi aussi. Oui, quand tu es contente, je le suis aussi. Mais j'ai juste peur un peu... Il n'y aurait pas quelque chose d'autre que tu ne me dis pas... ? Tu vas écrire dans le journal, d'accord. Mais tu vas écrire quoi, le sais-tu ? Et moi, là-dedans ? Je suis où ? Je corrige tes fautes ?

— Euhh, oui ! Ça, tu vas le faire ! T'es meilleure que moi en français ! T'as juste à être moins bonne si tu ne veux plus avoir la charge de me donner un coup de main. Mais tu vas faire plus que ça...

— Comme ?

— C'est que j'ai proposé à Mathis d'écrire un courrier du cœur. Je vais recevoir des lettres de gars ou de filles qui ont des problèmes en amour, qui veulent avoir des conseils ou qui ont besoin de se confier et je vais leur répondre.

— Moi, Rosalie. Moi. Je fais quoi là-dedans ?

— Ben, pour lui montrer que c'était un super projet, je lui ai dit que ce serait une chronique écrite en collaboration avec toi et que la même chronique serait publiée aussi dans le journal étudiant de ton école. Une chronique à distance... En fait, on écrirait la chronique à deux... Tu comprends, il fallait que je lui prouve que ce n'était pas juste une idée en l'air comme ça. Mais bon, t'es pas obligée obligée obligée de demander à ton école de le faire. Au pire, on pourrait dire que, finalement, le rédacteur ne veut plus et Mathis n'enquêtera pas...

— ...

— Tu ne dis rien ? Fred, t'es pas fâchée, au moins ? Fred ? Frédou ?

— Je ne sais pas trop quoi dire...

Et c'était vrai. J'allais prendre mon temps pour répondre. Genre 18 secondes gros maximum. C'est assez pour faire mourir d'attente ma meilleure amie, la plus impatiente fille (après moi) de toute la Terre.

— Rosie, j'hésite entre «Wahouuuuuu», «Youpiiiiii» ou «Méga *cooooool*»!

— Sérieux, Fred? Vrai de vrai?

— Mais ouiiiiii!

— Yéééééééééé!

Je l'imite en poussant le même cri de joie qui a rapidement attiré ma mère dans ma chambre, les yeux tout écarquillés.

— Je suis heureuse, c'est tout, maman!

Ma mère me fait un clin d'œil complice en me demandant quand même d'arrêter ces cris d'hystérie, de peur que les verres explosent dans les armoires et que les voisins se retrouvent les tympans perforés!

— Ben! Tu penses quoi, Rosie? C'est sûr que j'embarque dans ton projet! C'est en plein le genre de trucs qu'il me fallait pour me sortir de ma torpeur. Bon! Tu aurais pu m'en parler avant, ça aurait peut-être mis un peu plus de « oumpf » dans mon début janvier. J'ai absolument besoin de prendre des vacances de moi et d'arrêter d'analyser mon nombril, mes idées et mes moindres actions. Ça va me faire du bien, tu ne peux pas savoir comment! Tu sais que je t'aime?

— Ohh! Fred, j'avais peur que ça ne marche pas. Que Mathis refuse cette idée de courrier du cœur. Tu sais, habituellement, les gars ne tripent pas beaucoup sur les problèmes amoureux. J'avais peur aussi que tu trouves l'idée trop rose ou trop « cupidonesque ». Je ne veux pas être la reine des cœurs brisés, je veux juste faire quelque chose de bien réel. Un projet à moi qui me ressemble avec une touche de fantaisie. Quelque chose de différent, mais dans lequel je me sens bien et surtout utile. J'ai toujours l'impression de suivre tes projets ou de me modeler aux autres. Là, cette idée-là je l'ai eue toute seule. Je ne veux pas dire que je n'aime pas embarquer dans tes idées. J'ai adoré faire les t-shirts[2], mais, des fois, je me dis que je ne suis que les idées des autres. Toi, tu veux « prendre des vacances de toi », moi, je veux me retrouver dans mes souliers à moi... Me retrouver, en un sens, et me trouver une « mission ». Mais, même si j'ose faire ça, je vais avoir besoin de toi à mes côtés. Autrement, je tremble trop et je ne plongerai jamais. Tu vas être là, hein ?

— Mais oui ! Bien sûr ! Rosie, j'ai envie de te suivre dans ton projet même s'il est un peu fou, quand même ! J'ai surtout envie de me laisser porter par tes idées. J'aime ça en avoir des idées, mais là, ma panne de projets vient d'être secourue

---

[2] Lire le deuxième tome de la série *Les secrets du divan rose – Trois boutons.*

par ton courrier du cœur. Et puis, il faut que je l'avoue, j'aime trop me mêler subtilement de la vie des autres. J'aime ça imaginer… être quelqu'un d'autre! Et c'est ce que tu m'offres. Des fois, quand je reviens de l'école, il fait déjà noir et je peux zieuter à l'intérieur des maisons. Va savoir pourquoi, les gens ne mettent presque pas de rideaux. Je peux voir ce qu'ils font, ce qu'ils mangent et presque entendre ce qu'ils écoutent à la télé. Alors, me mettre le nez dans les histoires d'amour des autres va me permettre d'arrêter de me dépoussiérer le nombril et me faire voir que ma vie n'est pas le centre de la vie… Et ton projet est fantastique! C'est comme une proposition qui tombe du ciel. Écoute! C'est sûr que tu vas être la meilleure! On va être les meilleures.

— Fred, je te l'ai déjà dit que tu étais formidable?

— Euhh, attends… non, je ne pense pas! Répète, s'il vous plaît!

— T'es formidable, mon amie !

— Toi aussi, Rosie !

— Bon, assez, les minoucheries ! On a du boulot ! Je t'ai dit qu'on doit remettre la première lettre vendredi prochain ?

— Vendredi dans même pas une semaine, là ? C'est une farce ?

— Non, Fred ! Ce n'est pas une farce, c'est un départ !

Explosion

Disons que mon sourire ne cesse pas de s'étirer. Je suis méga heureuse. Méga énervée! Méga surexcitée! Franchement, c'est un projet bouillonnant de possibilités, en plein ce qu'il fallait pour passer à travers des mois d'hiver. De quoi réveiller ma torpeur! Je sautille partout. Je me sens poussée par un vent chaud. Ça aussi, c'est l'effet Rosalie! Quand elle rayonne, je suis comme portée à faire comme elle, à l'imiter! Au diable, mes projets de couleurs, de symboliques et de colliers thérapeutiques, j'ai un nouveau projet en tête. Un projet que je partage avec ma meilleure amie même si on habite loin l'une de l'autre. Écrire ces chroniques ensemble nous rapprochera et surtout nous donnera l'illusion qu'on est presque encore voisines.

Je pense qu'on avait besoin de ça toutes les deux pour survivre à l'hiver. Rosalie est plus seule, car Emma et Zoé sont hyper occupées, et moi, je suis un peu délaissée par ma mère, Sarah et Félix. Ensemble, elle et moi, nous vaincrons la monotonie de l'hiver ! Et ça va nous aider à tenir la moitié de l'année restante jusqu'à l'été...

Et en plus, je suis heureuse, car c'est le projet de Rosie et non le mien. J'aime bien être celle qui a les idées, qui propose et qui projette ! Mais être celle qui suit, ce n'est pas désagréable non plus ! Rosalie a besoin de se trouver encore plus que moi, je pense ! Sa voix résonnait de bonheur, tantôt ! Ça fait du bien à entendre !

Avant de raccrocher, on s'est fixé une réunion téléphonique ce soir à 19 h. D'ici ce temps-là, on doit écrire notre vision toute personnelle du projet et se l'envoyer par courriel. On réfléchit à distance, un nouveau moyen quand même efficace de travailler.

1) **Comment on va ramasser les questions ?**
2) **Quel sera le nom de la chronique ?**
3) **Comment rédigera-t-on les réponses ?**
4) **Ce qu'on veut vraiment dans cette chronique ?**
5) **Ce qu'on ne veut vraiment PAS dans cette chronique ?**
6) **Qu'est-ce qui fera que ce sera original ?**

Au travail ! Je crée un nouveau document sur mon ordi et commence à rassembler mes idées. C'est fou comme tout se bouscule. Autant hier j'étais comme une limace qui se traîne, autant je suis aujourd'hui un feu d'artifice duquel jaillit mille idées.

Pas question pour moi de copier ce qui se fait déjà. Trop facile ! Et surtout, ça ne nous ressemblerait pas. Il faut quelque chose de complètement nouveau, un peu « flyé » et surtout, surtout, qui redonne le sourire à celui qui l'a perdu. Parce qu'on ne se le cache pas : on va recevoir des lettres un peu déprimantes de cœurs qui pleurent ou qui souffrent en silence.

Carnet de Rosalie

1) On va installer une boîte devant le local du journal étudiant pour que n'importe qui vienne y déposer sa lettre. Mais pour la première chronique, il faudra demander à nos amis de nous aider...

2)

- **Fred et Rosalie vous répondent.**
- **Chut ! C'est un secret !**
- **Ouvre ton cœur...**
- **Les oreilles du divan**
- **Marchandes de bonheur**
- **L'amour, toujours l'amour...**
- **Amour, j'écoute...**

3) On pourrait choisir ensemble la lettre pour chacune des chroniques. On en parle ensuite pour trouver des pistes de solutions et les conseils qu'on donnera. On devrait se séparer la rédaction. Une fois, c'est toi qui fais le texte et l'autre, c'est moi. Mais on révise ensemble… Et c'est Fred qui corrige les fautes!

4) Rapiécer les cœurs brisés, consoler, écouter et le plus souvent possible montrer que l'amour est à la base de tout… Mais il ne faut pas qu'on fasse trop sérieux non plus ; on n'est pas des vraies psychologues. Peut-être qu'on devrait exagérer beaucoup autour d'un fond de vérité ?

5) Ne pas se penser meilleures que les autres. Je veux qu'on soit comme une meilleure amie imaginaire pour ceux qui nous écrivent.

6) On pourrait leur offrir une pensée magique comme celle qu'on retrouve dans les biscuits chinois.

Carnet de Frédérique

1) Une boîte près du local du journal étudiant serait une bonne idée, je crois. C'est la façon la plus traditionnelle. On pourrait peut-être se créer un courriel pour notre chronique.

2)

- **Les secrets du divan rose**
- **En direct du divan rose**
- **Une oreille pour toi...**
- **Le divan qui console...**

3) On pourrait se donner un rendez-vous téléphonique et se parler de la question choisie. (Comment on va la choisir ? On pige ? Ça, je ne sais pas trop !) On prend des notes (ça, ça risque d'être toi !) et on la rédige en même temps dans un document à l'ordi. Et ensuite, bien sûr, je la corrige !

4) Moi, j'aimerais montrer que, dans la vie, on doit parfois arrêter de se poser trop de questions... et passer à l'action ! Mettre du « oumpf » dans la vie des autres !

5) Ne pas faire trop « gnangnan » ou trop bébé ! Je veux qu'on redonne le sourire aux gens qui ont le cœur un peu amoché.

6) J'aimerais ajouter quelque chose de complètement rigolo qui ferait rire les lecteurs. Peut-être une prescription humoristique (exemple, à quelqu'un qui ne se trouve pas d'idées romantiques, on pourrait lui demander d'écouter trois films d'amour consécutifs).

Il est 19 h. J'ai reçu il y a à peu près 10 minutes les réponses de Rosalie et j'ai donc fait imprimer nos deux documents de travail. J'ai hâte qu'on s'en parle. On a toutes les deux de bonnes idées. Il suffit maintenant de tout remettre en ordre.

De mon côté, j'ai commencé une liste des choses qu'on aura à faire dès lundi matin, première heure ! J'aime faire des listes, ça m'éclaircit les idées. Tiens, je devrais en faire une avec des idées pour chasser mes petits *blues* passagers.

1. Rencontrer le rédacteur en chef de mon journal étudiant.

2. Rédiger une annonce pour la radio étudiante afin que Rosie ne dise pas que des niaiseries et pour ne pas mourir de gêne !

3. Fabriquer la boîte et l'installer si possible.

4. Raconter le projet à Félix et à Sarah.

Plus je fais ma liste, plus je doute, par contre ! Je ne suis pas sûre que ça me tente toujours autant. En fait, j'ai une grande crainte. Par chance que Rosalie tarde à m'appeler, j'aurai plus de temps pour réfléchir à comment je la lui confierai... Il faut que je trouve les mots pour lui expliquer comment je me sens sans lui faire de la peine. Je suis mieux de me pratiquer parce que c'est en plein ce que je devrai faire avec les lettres qu'on recevra : donner des conseils aux autres. Je raye toute ma liste et essaie de me vider la tête. Je m'étends sur le divan rose en attendant l'appel de mon amie.

C'est difficile à avouer, mais, pour la première fois de ma vie, je ne sais pas trop si je veux que les gens sachent que je suis derrière ce projet. J'aimerais mieux rester anonyme, invisible, secrète. En fait, ça me gêne. Beaucoup. Vraiment. À mon ancienne école, ça ne m'aurait pas dérangée. Pas une miette ! Je connaissais presque tous les élèves et ils me connaissaient aussi. La Fred aux idées rigolotes, ils la voyaient aller depuis la maternelle. Ils auraient compris que Rosalie et moi faisions cela pour faire rire et qu'on ne se prenait pas vraiment au sérieux ! Ici, on ne me connaît pas. Pas encore assez, en tout cas ! Je ne veux pas passer pour celle qui se pense bonne ou celle qui prétend avoir la solution à tout ! Ou, pire, la distributrice de conseils prémâchés. Déjà qu'ici on me regarde un peu de travers depuis que Félix et moi sommes un couple « officiel » et que Sarah me traîne partout. On commence à peine à s'intéresser aux colliers que je fais. La seule fois que j'ai essayé d'en vendre avant Noël – l'école organise une exposition-vente où chacun peut proposer des trucs qu'il a faits : des cartes, du papier d'emballage, des biscuits, des signets, etc. –, eh bien, j'ai obtenu le fabuleux record du moins grand nombre de visiteurs à ma minuscule table. Alors, j'aimerais mieux y aller mollo avec ce projet. Même si je l'aime beaucoup. C'est vrai ! On dirait qu'il va pouvoir me permettre de me glisser dans la peau de quelqu'un d'autre – que je ne suis habituellement jamais – pour vivre un peu à sa place.

C'est juste qu'ici je n'ai comme pas encore pris toute ma place dans l'école et encore moins dans le village. Et je n'ai pas envie que ce soit par le courrier du cœur version « Ma très chère Amoureuse-secrète ! Je te comprends bien. J'ai déjà vécu la même chose que toi et l'amour n'est pas facile à avouer parfois… » Le style trop dégoulinant, trop romantique, trop « écoute-moi, j'ai la réponse à tout », je n'aime pas trop. Ce n'est pas par ça que je veux qu'on m'identifie. Ce serait catastrophique ! Je pense que je devrais me mettre un sac de papier sur la tête pour aller à l'école, et ma vente de colliers dégringolerait à zéro ! Je n'en vendrais plus un seul.

Je n'ai nullement envie qu'on me prenne pour une sauveuse des cœurs brisés, surtout que, d'habitude, ça rime trop avec celle qui n'est pas capable d'être vraiment en amour. Même si j'ai déjà un amoureux, ça pourrait avoir l'air suspect !

Alors, pas de problème pour qu'on m'identifie dans mon ancienne école, mais pas question que tout le monde sache ici que c'est moi. Il faudra que je mette le rédacteur en chef dans le coup. J'espère qu'il voudra bien ne pas révéler qui je suis… C'est compliqué, des fois, la vie !

Planification extrême

Avec Rosalie, rien n'est jamais vraiment compliqué! C'est ce que j'aime de mon amie! Elle a vraiment décidé de prendre les choses en main. C'est épatant! Faire le tri dans nos idées et choisir la ligne directrice de notre courrier a été super facile. Elle m'a écoutée avec attention quand je lui ai confié mon désir de garder l'anonymat dans mon école. « Pas de problème, Fred! Mais tu verras, je suis certaine qu'à la fin de l'année tu voudras que tout le monde sache que tu es derrière les chroniques! » Elle n'a peut-être pas tort, mais pour l'instant, ça me soulage! Je n'ai pas honte du projet, je suis juste mal à l'aise…

On a choisi « En direct du divan rose » comme titre de chronique! Ici, ça ne me trahit pas. Personne ne connaît l'existence de mon fameux divan, à mon école. Et pour Rosalie, eh bien c'est un clin d'œil assez évident. Disons simplement que nos soirées « pizzadredis » étaient assez connues pour que les gens associent la chronique à Rosalie, Zoé ou Emma.

— Tu n'auras qu'à livrer la première chronique totalement incognito, dans une enveloppe brune ou par un courriel dénué d'indices, genre lessecrets-dudivanrose@hotmail.com, à la rédaction de ton journal. Je suis certaine que ça va piquer leur curiosité et qu'ils voudront la publier. Ensuite, à la fin de l'année, tu pourras évaluer si tu veux qu'on le dise ou pas que c'était toi !

— Mais t'es certaine que ça ne te dérange pas ? Je n'ai pas honte du projet, c'est vraiment juste que j'ai peur de me faire rejeter encore plus ! Je suis déjà la différente qui vient de la ville, dont la mère ressemble à une artiste bohémienne et qui arrache le cœur du beau

Félix. Devenir la Miss Psy en plus, il me semble que ça me ferait beaucoup de chapeaux à porter...

— Pas de problème, ma guimauve! Tu as le droit! Moi, j'ai le goût que ça marche... Si tu veux m'aider et rester dans l'ombre, je vais me mettre à l'avant-plan sans problème! Pour une fois que je réalise quelque chose! C'est vraiment génial de monter un projet! Avant, je ne comprenais pas trop quand tu t'émoustillais pour tes idées, là je saisis tout! On dirait que ça pétille en moi! J'ai besoin que ça sorte!

— C'est bon signe, ça, Rosie! Rien sentir signifie grande platitude ou indifférence. Même si on sent des vibrations un peu inquiétantes, même si on doute, je pense que ça veut dire que quelque chose se trame et s'active. Bon signe, que je te dis!

— Tant mieux! Parce que là, s'il ne m'arrivait pas quelque chose dans ma vie, je te dis que j'aurais commencé à déprimer solide de façon continue!

— Arrête ! Allez, faut travailler ! Elles ne s'écriront pas toutes seules, ces chroniques-là !

On s'est donc mises d'accord sur plusieurs points.

• On choisira la lettre et pensera aux idées de la réponse ensemble. On écrira à tour de rôle et moi, je corrigerai le tout.

• On fera des réponses courtes avec beaucoup d'humour. Pas question de se prendre trop au sérieux et surtout de tomber dans les clichés des adultes. Pas question d'être nunuche ou trop bébé. On veut révolutionner les courriers du cœur !

• On va mettre une pensée de type « Biscuit chinois » et une prescription drôle à la fin.

• Rosalie mettra une boîte à l'entrée du journal étudiant et en parlera à la radio étudiante. Moi, j'ai laissé tomber toutes mes initiatives. Trop risqué de me faire identifier. J'agirai en catimini. C'est excitant quand même ! Comme une mission impossible et secrète.

• La vision de Rosalie ? Remettre du bonheur et des sourires dans la vie des gens. La mienne ? Me retrouver. Heu ! Je veux dire… Aider les gens à se retrouver !

Est-ce que ces chroniques « En direct du divan rose » vont nous aider à nous analyser nous-mêmes ? Qui sait ?

Après une looooongue séance de jasette au téléphone, on a établi que, pour la première lettre, on allait l'inventer, à moins que Zoé, Félix, Sarah ou Emma veuille se prêter au jeu. De toute façon, toutes les lettres seront signées de manière anonyme. Autrement, il n'y aurait personne qui voudrait participer… Bon, tout est prêt ! On a tout planifié.

Demain, on fait le tour de nos amis proches à qui on peut révéler notre mission secrète.

Lundi soir, on choisit notre première lettre.

Mardi, c'est notre première soirée de rédaction.

Mercredi, je révise le tout pour trouver les fautes.

Jeudi, on relit, modifie et améliore.

Vendredi matin, c'est le grand jour de la remise.

Ensuite ? On attend le verdict. Et on va bien mourir de stress…

Mais en attendant cette torture d'angoisse, je raccroche le téléphone l'esprit agité et le cœur bien au chaud.

Une chance que Rosalie est là…

J'ai trouvé mon dimanche tellement long. Je tournais en rond dans la maison. J'ai appelé chez Sarah et Félix : pas de réponse. Bien sûr ! Ils ne reviendront pas avant la fin de l'après-midi, peut-être même en soirée. J'ai quand même tenté ma chance! Rosalie se chargeait d'accrocher Emma et Zoé, et de leur parler de notre projet secret. Je doute qu'elles veuillent écrire une lettre. Zoé ne voudra pas avoir l'air de la fille en peine d'amour… et Emma n'a pas de problèmes! Alors, on n'est pas bien bien avancées. Félix? Selon moi, il ne sautera pas de joie à propos de ce projet et son côté hyper mystérieux et solitaire élimine toute chance qu'il livre ses états d'âme sur papier. (Et je ne suis pas certaine que je voudrais avoir un accès privé et privilégié à ses pensées intimes. Tout d'un coup que… Ah! J'aime mieux ne pas trop y penser!) Il reste donc Sarah! La seule assez audacieuse et qui n'a pas froid aux yeux pour se prêter à notre jeu. Je mise tout sur elle!

À 13 h, quand la bibliothèque a ouvert ses portes, je suis allée m'asseoir avec une pile de magazines et des tas de livres sur l'amitié, les amours et les filles. On ne se le cachera pas : ce sont sûrement plus les filles qui écriront des lettres. Les gars, ce n'est pas leur truc. Quoique la perspective d'être totalement anonyme les dégênera peut-être. Perso, je ne pense pas qu'on soit si différents les gars des filles. On cherche tous les vrais amis sur qui on peut compter, et aussi l'amour avec un A plein de promesses. On veut triper, avoir du plaisir sans trop avoir de conséquences et être libre ! Gars ou fille, ça change quoi, au fond ? Je gribouille quelques notes sur toutes mes réflexions. On ne sait jamais quand elles pourraient être utiles !

Je suis repartie avec un sac rempli de trouvailles intéressantes, dont un livre de pensées et trois revues avec des courriers du cœur totalement inintéressants. Je les montrerai en exemple à Rosalie. J'ai aussi trouvé un livre qui suggère des lectures pour chasser des peines passagères, la bibliothérapie, qu'on appelle.

Ça pourrait entrer dans nos prescriptions rigolotes.

À la maison, tout était calme. Ma mère était là. Le dimanche, elle a congé. Je l'ai retrouvée plongée dans un livre. « Un polar bien noir pour me changer les idées », a-t-elle précisé quand j'ai lorgné la couverture. Je me suis assise à côté d'elle sur le gros divan du salon et je lui ai raconté mon nouveau projet de A à Z. « Je pourrais y aller, moi aussi, sur le divan rose pour m'éclaircir les idées ? », qu'elle m'a demandé les yeux perdus dans le vide. Je n'ai pas eu le temps de la questionner davantage, un appel de Félix a interrompu notre grande conversation. Ma mère me cache-t-elle quelque chose ? Pourtant, tout semble bien aller au boulot, elle semble l'a-do-rer (et le mot est faible !). Elle n'a jamais été aussi créatrice, j'ai arrêté d'être marabout et de lui en vouloir. Je la soupçonne même de voir quelqu'un en cachette, car je la surprends souvent au téléphone… Étrange ! Mais j'aime beaucoup l'expression que ma mère a utilisée, « éclaircir ses idées », je l'ai notée tout en parlant à Félix.

Je prédis l'avenir. Félix m'a longuement écoutée (je parle vraiment autant ?), mais a été avare de commentaires. Un « Ouin ! T'as l'air heureuse ! » et un autre petit « Je suis content pour toi, tu sembles vraiment emballée » dit sur le bout des lèvres. On dirait que ça lui coûte quelque chose d'être un peu expressif. Ça lui ferait mal de sauter un peu de joie ? De démontrer qu'il partage mon élan et mes idées ? Parfois, j'ai l'impression d'être un feu bouillonnant tandis qu'il est l'eau calme.

Juste avant de raccrocher, on s'est donné rendez-vous devant chez lui le lendemain matin pour faire la route ensemble vers l'école. Il comprend que je suis nerveuse. En fait, je vais l'être encore plus quand je remettrai la première chronique de façon anonyme. Et à ce moment-là, il est absolument certain que j'aurai besoin du calme légendaire de mon chum pour passer à travers ce pénible moment. Des fois, je ne me reconnais pas et surtout ne sais plus trop quoi penser. C'est peut-être moi qui imagine que son degré de bonheur n'est pas au sommet quand je lui parle de mes projets ? Peut-être que je vois un peu embrouillé ? Et peut-être que... oups ! J'ai oublié de le questionner sur son week-end de ski. Franchement ! J'ai un peu honte ! « Fred ! Arrête de tourbillonner et dépose-toi un peu ! » Cette phrase résonne dans ma tête... un écho de ma conscience et de la voix de Félix. Oups ! Oups ! Oups !

Hésitations

La première lettre est écrite[3]. Rosalie et moi avons réussi. Ou plutôt, nous avons survécu. C'est le mot juste !

Ouf ! Ce n'était pas aussi facile que je l'avais imaginé. Par chance, Sarah nous a donné une vingtaine d'idées de sujets. On a eu l'embarras du choix ! Mais trop de possibilités entraînent nécessairement des opinions différentes et une prise de décision plus ardue ! Disons qu'on a connu quelques frictions ! En plus, on n'est pas ensemble physiquement. Pas évident de monter un projet à distance comme ça ! Bien sûr qu'on avait la caméra Web, mais il restera toujours un écran entre nous deux ! Rosalie est définitivement plus « Miss-sauveuse-des-cœurs ». Elle opterait toujours pour

[3] Voir lettre 1 en annexe !

des histoires d'amour où il y a beaucoup (trop !) de larmes. Moi ? Je suis « Miss-je-sème-du-bonheur » qui cherche des histoires où les gens se remettent en cause. Deux personnalités + deux visions + deux têtes de cochon = beaucoup beaucoup beaucoup de discussions.

Finalement, on a choisi la lettre sur la timidité, car ça rejoignait nos deux désirs. Rosie avait de bonnes idées pour les pseudo-conseils, mais ses phrases étaient fades. Sans vie. Sans sourire. Limite « bouafff » et surtout sans « oumpf ». Je voulais quelque chose qui se démarque ! Un style vivant et non déprimant. Un souffle positif et pas trop émotif ! Mais mes mots restaient introuvables. Mes idées semblaient perdues dans ma tête et ne retrouvaient pas le chemin. Houu houuu ! Besoin d'un GPS ? À d'autres moments, je les sentais complètement gelées. Prises dans un bloc de glace. Et moi qui voulais des mots pour réchauffer le cœur de « Timide extrême ». Je savais comment je voulais le dire, mais ne savais pas quoi dire. Drôle d'effet, je l'avoue. J'ai connu de meilleurs moments d'imagination. Rosalie me trouvait au ralenti, moi je jugeais qu'elle rebondissait trop. J'étais son eau, elle était mon feu. Finalement, elle a fait fondre mon bloc et les idées ont retrouvé leur chemin. Sauf que d'autres pensées sont venues percuter mon cœur... Des paroles de Félix, l'air triste de ma mère, mon besoin de me changer les idées, les lettres qu'on a reçues et le rêve de Théo.

Encore.

Mais chuuut !

La semaine a passé ultra rapidement, à la vitesse d'une fusée ! Je n'ai rien vu aller ! J'ai travaillé tous les soirs sur le projet. J'ai écrit, raturé, effacé, réécrit, re-raturé, re-effacé. J'ai remâché toutes nos idées pêle-mêle pour en faire une chronique qui se tienne et dont on serait vraiment fières. Mon cou est assailli de crampes et mes doigts sont endoloris. On est vendredi et je suis m.o.r.t.e. Je ne me sens pas « bouafff », je me sens juste vidée. Toute mon énergie est là sur cette feuille de papier avec l'en-tête tout écrit de rose « En direct du divan rose ».

Ce soir, je ressemble à une tortue incapable d'avancer plus rapidement... Et pour une des rares fois de ma vie, je n'ai pas envie d'appeler Rosalie ou de lui écrire, ce soir. Ça, c'est rare, vrai ! Mais il faut dire qu'on a atteint des records, cette semaine. On a discuté au téléphone au moins deux heures chaque soir. Mon oreille droite a même surchauffé ! On a utilisé la caméra Web pour les urgences où on avait besoin de se voir la binette ! Et on a pianoté sur MSN parfois même jusqu'à passé 22 h sans faire trop de bruit. Là, j'ai le goût de me changer les idées ! J'ai besoin de faire une pause. Je ressens un trop-plein de fatigue et de stress. Mais elle est là. Pour vrai. La toute première chronique « En direct du divan rose ». J'ai passé des heures à lire les dix-huit brouillons et à réécrire la version finale. J'ai soupesé chaque mot pour que le résultat soit très « oumpf ». Je crois qu'on a réussi. Je dis « je crois », car on verra bien ce que Mathis en dira. Rosalie le rencontrait aujourd'hui. Pas eu de nouvelles encore. On verra bien. Mais tout ce que je sais, c'est que je ne peux pas faire mieux. J'ai tout donné ! Advienne que pourra, comme dit ma mère ! On s'est jetées à l'eau ; la suite, on verra bien !

Ce soir, je passe la soirée avec Félix. Il a promis de venir ici avec un film mi-horreur mi-suspense. Je lui avais totalement interdit de louer une histoire romantique. Autrement, je ferais une indigestion sur-le-champ! Il y a des limites. Moi, je vais préparer ma pizza-réconfort: bacon-olives-tomates. Félix l'aime bien aussi. Ce sera parfait.

Oui, parfait! Parce que j'ai hâte de le voir. Je l'ai un peu délaissé, cette semaine. Et le plus beau? Félix m'a manqué. Je me suis ennuyée de lui. Un soir de déprime après avoir réécrit au moins huit fois la même phrase, je l'ai appelé en pleurant. Oui, oui! En pleurant. Il n'a pas ri, n'a pas dit: « Tu ne dois pas t'en faire autant » ou autres conseils bidon. Il a juste dit: « Je suis là » et ça m'a fait le même effet calmant que s'il avait posé sa main sur ma cuisse. Parfois, l'automne passé, quand on pouvait encore aller passer du temps sur le bord de la rivière, on s'y assoyait tous les deux et quand je partais trop dans les nuages avec mes idées de grandeur avec mes colliers, il s'approchait encore plus de moi. Je sentais une chaleur émaner de sa jambe qui touchait la mienne et il déposait simplement sa main sur mon genou, mon avant-bras, ma cuisse ou mon épaule. Chaque fois, je sens une décharge électrique. Le courant passe. Et au lieu de créer un court-circuit dynamisant, un transfert-choc d'énergie, c'est plutôt un échange de calme qui se produit. Mon cœur exalté reprend un rythme plus régulier. Assez spécial !

Ce soir, c'est en plein ce dont j'ai besoin. Un court-circuit de calme et de douceur... avec un film à émotions fortes ! Duo d'enfer !

Je ne comprends plus rien. Félix est arrivé... avec Sarah sur les talons ! Ce n'est pas que je ne l'aime pas, mon amie, non ! Mais là, je pensais avoir été claire que j'avais besoin de mon amoureux – et que de lui – pour chasser ma fatigue de la semaine… Quand j'ai ouvert la porte, j'ai sursauté. Mon visage, tel un miroir, a dû laisser paraître que j'étais étonnée de voir Sarah. Félix a détourné le regard. C'est elle qui voulait venir ? Ou lui qui l'a traînée pour ne pas se retrouver seul avec moi ? Je n'ai pas osé demander. La réponse, la vraie de vraie réponse, je n'étais pas certaine de vouloir la savoir. En moins de quatre minutes, j'ai vécu un beau mélange d'émotions (oui ! quatre minutes, parce que je n'aime pas être « grognonne » plus longtemps que cela ! ça ne donne rien ! et avec une pizza spécial réconfort, tout va mieux !).

J'ai d'abord été fâchée. Contre Félix. Contre Sarah, aussi. Ils sont si inséparables que ça, ces jumeaux-là ? Puis, j'ai été déçue. De Félix de n'avoir pas compris qu'un petit moment d'intimité entre nous aurait été chouette. De Sarah de ne pas faire la distinction entre « soirée d'amoureux » et « soirée d'amis ».

Finalement, j'ai été soulagée. Félix n'étant pas très bavard, j'ai pu me rattraper avec Sarah. On a décortiqué ma semaine et le projet. Elle m'a promis de garder le secret et elle est certaine qu'on aura du succès. On s'est installés sur le divan rose pour écouter le film, et Félix a posé comme prévu sa main sur ma cuisse. Et l'effet magique a quand même eu lieu. J'ai profité doublement de l'effet calmant de Félix durant le film qui m'a fait sursauter au moins quinze fois ! Et Sarah nous a fait rigoler avec ses commentaires sur l'intrigue. Au fond, la soirée a été agréable. Pas comme je l'imaginais, mais qui a dit que ça aurait été mieux ?

« Et si ça ne marchait pas ? Et si on nous trouvait nulles ? J'aurais dû ne pas mettre mon nom, comme toi ! » m'a écrit Rosalie d'un ordinateur du local étudiant juste après avoir remis la toute première lettre. Il y a plus de douze heures... Sérieux, elle doit se ronger les ongles à attendre ma réponse. Quand Félix et Sarah sont partis, je me suis couchée. Exténuée.

« Je lis cela et t'en reparle au plus tard lundi matin, promis. Le journal part chez l'imprimeur mardi à la première heure », lui a assuré Mathis, le rédacteur en chef. Aussi bien dire que l'attente pourra être longue. Et difficile. Et pénible. Et angoissante. Lundi matin !

J'ai empoigné le téléphone et ai composé le numéro de ma meilleure amie. Un seul coup a suffi et elle a décroché. Signe qu'elle attendait mon appel.

— T'étais où ? a-t-elle hurlé comme salutation.

— Ici, chez moi.

— Hier soir aussi ?

— Ben oui ! Félix et Sarah sont venus écouter un film...

— J'ai essayé d'appeler et c'était occupé. Toute la soirée ! Pas de signe non plus sur l'ordi! Je pensais que Saint-Gilles avait été enseveli sous une tempête de neige, incapacité complète de te joindre...

— Désolée... Pour le téléphone, ça devait être ma mère. Tu sais quoi? Je la surprends de plus en plus à parler au téléphone. Un soir cette semaine, elle vérifiait souvent si j'étais encore sur la ligne et sautait dessus chaque fois que je raccrochais...

— On analysera les appels de ta mère plus tard... J'ai eu des nouvelles...!

— Déjà?

— Oui!!! Mathis a A-DO-RÉ!

— Euhh? Pour vrai?

— Oui, je te le jure! Il a dit qu'«En direct du divan rose» allait donner le coup de «oumpf» au journal! Il pense même faire un concours associé à la chronique. Je n'en sais pas plus. Il veut me voir tantôt pour me montrer des petites corrections. Je vais le rejoindre à 13 h à la bibliothèque.

— Wow ! Suuuuuuper ! En lisant ton courriel, j'étais certaine que je devrais te remonter le moral ! C'est, comment dire... ultra génial !!! Je vais appeler Thé... euh, Félix, je veux dire !

— Viens-tu de bafouiller « Théo », toi ?

— Simple erreur ! Distraction minime ! Trop de choses en tête !

— Frééééédouuu ?

— Quoi ? J'ai dit « Théo », et puis ? Ce n'est pas la fin du monde ! Tout le monde a le droit de prononcer ce nom ! Il n'y a pas de quoi réveiller la Terre entière ! Et tu sauras que ça va bien, entre Félix et moi...

— Ben oui ! Tellement qu'il amène sa sœur pour une soirée pizzadredi avec film à suspense... donc propice au collage ! Avoue que c'est un peu étrange !

— Pourquoi tu dis « un peu » sur ce ton ? Dans ton langage codé, ça veut dire quoi ?

— Ça veut dire qu'il est un peu bizarre... On dirait qu'il a toujours besoin de sa sœur pour être « complet ». À la limite, on dirait que rester avec toi tout seul, ça le gêne. Ça se peut-tu, ça?

— Arrête de chercher des bibittes là où il n'y en a pas… C'est vrai! On en a assez avec notre chronique! Trouve des solutions pour les autres, pas pour moi. Et puis tu n'as pas à scruter mes amours…

— On pourrait peut-être enquêter sur celles de ta mère, par contre. Tu crois qu'elle a un amoureux secret? Pourquoi elle ne t'a rien dit? Elle a changé?

— Puisqu'on en parle, c'est vrai qu'elle a changé. Un peu. Elle est plus fatiguée, elle parle en cachette au téléphone et elle est souvent dans la lune. Comme ailleurs. Perdue. Dans ses rêves ou je ne sais trop où…

— Humm! On a possiblement affaire à une maman en amour… Je suis certaine!

— Ben là! Elle m'en aurait parlé… un peu, du moins!

— Tu penses, toi ? Moi, je ne crois pas ! Au fond, elle devait t'envier avec ton ténébreux et mystérieux Félix… Une mère, ç'a le droit de retomber en amour. Bon, la mienne est tombée sur tout un numéro, mais tout de même !

— Ma mère, un amoureux ? Bouah ! Pas sûre ! On verra bien ! En attendant, on s'en tient à notre chronique ! Tu n'as pas une boîte à aller installer en plus d'un rendez-vous avec le beau Mathis, toi ?

— Pourquoi tu dis « beau Mathis » ? Tu ne l'as jamais vu !

— Ahhhhh ! Il est beau ! Il est beau ! Il est beau ! Autrement, tu n'aurais pas dit ça !

— Pfff !

— T'es sans mot ! Il est beau ! Tiens, tiens ! Tu pouvais bien vouloir te lancer dans ce projet-là ! C'était pour te rapprocher de Mathis ? Du beau Mathis, je veux dire !

— Fred ! C'est n'importe quoi ! Je ne savais même pas c'était qui ! Je-te-le-jure. Arrête ! Je ne suis pas en recherche constante d'un amoureux ! Je suis correcte comme ça, tu sauras !

— Ouin... Je ne suis pas certaine !

— Pense donc ce que tu veux !

— Ne le prends pas comme ça, Rosie, voyons !

— C'est ça ! Rosie-la-désespérée va aller se pâmer sur Mathis... Bonne journée !

Je l'ai blessée. Je le sais. Je le sens ici, là, sur le rebord de mon cœur. Et dans ma tête. Et dans mes tripes. Quand on cogne trop fort, c'est la voix tremblotante de l'autre qui nous révèle qu'on a été trop loin. Je suis bête. Bête. Bête. Bête. Rosalie ne riait plus à la fin et moi – totale cruche ! – j'ai continué à la taquiner. Je suis une brique insensible totalement impénétrable... sauf à retardement. Pourquoi je me sens en décalage avec ma raison ? Une fois ma bêtise réalisée, il était déjà trop tard pour me rattraper. Rosie était partie. Sa mère me l'a dit au téléphone en me questionnant sur notre nouvelle vie : « Je n'ai plus de nouvelles de ta mère. Elle va bien, au moins ? » « Oh oui ! Juste occupée ! » J'ai menti un peu pour couvrir… mon ignorance. Ma mère va bien, au fait ? Ou elle va trop bien ?

— Tu voudrais venir passer la semaine de relâche à la maison, Fred ? Je pense que Rosalie sauterait de joie. J'aimerais lui faire une surprise… Qu'en dis-tu ?

— Euhhh, bien sûr !

J'ai dit ça, mais, dans ma tête, j'ai un panneau lumineux où il est écrit DOUTE qui s'est mis à clignoter.

— En surprise, ce sera génial !

Parce que lui annoncer aujourd'hui mon arrivée prochaine serait plus une gaffe qu'une nouvelle réjouissante pour elle !

— Parfait ! Je rappellerai ta mère pour arranger le tout. Ou plutôt, dis-lui de me rappeler ! Elle semble si occupée, cette belle Sonia-là ! Elle ne se serait pas fait un amoureux, toujours ? J'ai hâte de lui jaser !

— Aucune idée ! Mais je lui fais le message, promis ! J'ai envie d'aller surprendre Rosie. Pas un mot, alors !

Il n'y a pas à dire : Rosalie et sa mère sont des fouines identiques. Toujours prêtes à voir fleurir l'amour là où il n'y a peut-être rien. Peut-être... ou peut-être pas...

Maman ?

Je lui expose la proposition de Marie-Claire, la mère de Rosalie. Sa réponse spontanée ? « Suuuuper ! Je la rappelle tantôt. » Un peu plus et elle sautait de joie à l'idée de me voir déguerpir de la maison pour une semaine. Je rêve ou quoi ? Ou je fabule ? Ou j'invente ? Oh là là ! Je ne sais plus ! Mon imagination

surchauffe probablement et est grande-
ment influencée par les commentaires
de Marie-Claire et Rosalie.

C'est ce que je croyais jusqu'à ce que
ma mère me demande... « Au fait, tu
voudrais me montrer comment fonc-
tionne le clavardage sur MSN ? »

Misère.

Ma mère est en amour. C'est clair.

6

Aller...

Je suis partie pour mon ancien chez-moi avec le sentiment d'être comme une reine qui revient dans son royaume. Wow ! Autant j'aime maintenant le calme de la rivière, autant le bruit de la ville me manquait. Et Rosie aussi ! Finie notre similichicane ! On s'est parlé et tout est réglé. Elle ne veut plus que j'insinue qu'elle est en amour avec le premier arrivé. Sa recherche à tout prix du prince charmant, elle l'a abandonnée. Elle veut se consacrer aux chroniques. J'ai compris le message dix sur dix. Je la comprends. Je lui ai demandé de faire la même chose pour ses allusions à propos de Félix et moi. Finalement, on garde nos trucs perso un peu pour soi, comme un petit jardin ultra secret. Bizarre quand on pense que nous, on farfouille dans celui des autres. Mais bon ! On a bien le droit de se préserver un peu de mystère… J'ai hâte qu'elle ouvre la porte ce soir et qu'au lieu de voir sa mère de retour de l'épicerie avec plein de sacs dans les mains –, c'est l'excuse que Marie-Claire donnera en quittant la maison pour venir me chercher au terminus d'autobus – c'est moi qui serai là. Je suis mieux d'avoir déposé mes bagages, car elle va me sauter dans les bras, c'est certain !

J'ai l'impression d'être une reine parce que les chroniques « En direct du divan rose » remportent tout un succès ! Inimaginable ! Sérieux ! Après la première lettre, la boîte aux lettres que Rosalie a placée à la porte du local du journal a reçu une dizaine de missives de cœurs éplorés. Après la deuxième publication[4], on a créé le courriel (lessecretsdudivanrose@hotmail.com). Notre boîte de réception clignote chaque

[4] Voir lettre 2 en annexe !

matin. On a au moins une dizaine de petits mots chaque semaine. Et puis, une fois la troisième chronique écrite[5], Rosalie a posé une deuxième boîte aux lettres à la maison des jeunes. De mon côté, j'ai pris mon courage à deux mains et j'ai envoyé un mot à la rédactrice du journal. Elle a semblé intriguée par ma demande anonyme – j'ai utilisé notre adresse courriel secrète –, mais elle a accepté de jouer le jeu. Je l'ai mise en contact avec Mathis et tout a déboulé.

On reçoit le double de courriels. Les échos que j'en entends dans les corridors m'enchantent. Je ramasse tous les bons commentaires... en souriant. Ils ne savent pas que c'est moi ! « C'est drôle ! », « Ça rassure de lire cela ! », « C'est nouveau » et surtout les « J'ai envie d'écrire juste pour voir... ». Parce que l'article est anonyme et qu'ici à Saint-Gilles on ne peut envoyer les questions

5 Voir lettre 3 en annexe !

que par courriel, personne n'a réussi à remonter jusqu'à la source... moi! Une chance, par contre, parce que j'ai entendu plein de commentaires assez méchants aussi. Il y en a toujours des jaloux, je sais bien! Et des piqueurs d'idées! J'ai même entendu des filles prétendre qu'elles avaient eu l'intention de faire « exactement la même chose », mais qu'elles n'avaient juste pas eu le temps de proposer le projet. Pfff! N'importe quoi!

Dans ces moments où on entre trop dans ma bulle et qu'on essaie de s'approprier quelque chose qui m'appartient, je deviens une louve protectrice. Je sortirais mes griffes pour défendre mon projet... mais je ne peux pas. Anonymat oblige! Je sais que je deviens rouge tomate, les joues bouillantes de furie! Mais je ne dois pas le laisser paraître. Autrement, les voleuses – qui enquêtent sur l'auteure de la chronique – pourraient faire le lien. Pas facile! Je suis très transparente. Comme une eau trop limpide. Ceux qui me connaissent lisent aisément mon visage. Même un clignement des yeux révèle une part de mes réflexions et un frétillement du coin de mon sourcil dénote mes opinions. Pas simple, pas simple! Une chance que Félix et Sarah sont là pour faire baisser la pression. Avec un sourire complice, on change de sujet ou on parle juste un peu plus fort pour ne plus les entendre. Fidèles et utiles, mes amis!

Au moins, personne ne connaît l'existence de mon divan rose à part eux deux. Et puisque je n'invite personne d'autre chez moi, je suis sauve! Je n'ai pas de doute. Ni Félix ni Sarah ne trahirait ma confiance. C'est important pour moi. Tenir parole, c'est impératif. Je suis tombée sur de bons amis ici, quand même... Mais au fond de moi, je me demande si un jour je devrai faire une grande révélation. Le scénario est là, dans ma tête. Dans un gymnase bondé, tous les élèves sont réunis, n'en pouvant plus de vivre dans le mystère. Ils réclament que l'auteure d'« En direct du divan rose » se lève. Comme dans un film, je les laisserais patienter un peu. Les têtes se tourneraient dans tous les sens. Des bruits de chaises qui bougent et qui grincent un peu sur le plancher monteraient dans les airs. Les regards interrogateurs se mêleraient dans le flou du temps suspendu pendant que moi je savourerais ces derniers instants de tranquillité. Puis, lentement, je me lèverais alors que le silence tomberait sur l'assistance médusée. Mon heure de gloire aurait sonné. Et celle de ma vengeance aussi. Car je me suis toujours sentie à part des autres, ici. Même après six mois, je ne fais pas partie de leur « gang ». Je suis l'exclue. La différente. Je ne fais pas pitié, non, non ! Personne ne me maltraite ou me fait la vie dure, au moins, mais je ne suis pas considérée comme une des leurs. Voilà tout ! Leur montrer que j'ai réussi à les étonner serait pour moi une délicieuse façon de leur prouver qui est la vraie de vraie Frédérique. Mais ça, c'est encore juste dans mes rêves. Je ne sais même pas si je le leur dirai un jour. Les laisser nager en plein mystère, ça pourrait être chouette aussi !

En attendant, je boucle mes valises pour être prête à sauter dans l'autobus demain matin aux aurores. Direction… chez moi ! Étrange quand même de dire « chez moi » pour identifier l'endroit que j'ai quitté il y a une demi-année. Mais, dans mon cœur, ça restera toujours mes vraies racines. Bizarre ! Mes racines poussent en ville alors que j'ai été transférée en pleine nature et qu'ici mon sol est assez infertile. Je veux bien, mais rien ne pousse. Je suis en jachère, en attente d'autre chose, entre deux chaises, sur pause.

Assez bougonné ! Je me secoue les puces et m'affaire plutôt à tout faire entrer mon bataclan dans mon sac à dos. Je n'ai droit qu'à un sac dans l'autobus, le reste prend la direction de la soute à bagages. Et moi, pour survivre à un peu plus de huit heures de route, j'ai besoin de tout ce qui peut être nécessaire et primordial. Mon ordinateur, mon iPod, mes cahiers de notes, des crayons, la prochaine chronique à écrire, un livre (non, deux !), mon appareil photo, trois magazines, etc. La liste est longue. Mon sac est immense.

J'aurais pu ne rien apporter. Depuis le départ (soit il y a presque quatre heures), je n'ai pas touché mon sac. J'ai fixé le paysage la tête perdue dans un champ de millions de pensées. Félix... Je n'ai pas peur une miette de m'ennuyer. Il me semble que c'est un mauvais présage. Et lui non plus ne semble pas avoir peur de s'ennuyer lorsqu'il m'a dit au revoir avant de partir avec ses parents et sa sœur dans le Sud. Mais pas mal plus au sud que moi. Dans un sud plein de sable, de palmiers et de mer qui se confond avec le ciel. Moi, c'est un paquet de choses qui se mélangent. Mon cœur en guimauve qui a une soif de grand amour qui s'entremêle avec ma raison trop insistante et irréversiblement rationnelle. Mon désir de percer le mystère de Félix et ma timide envie de lui dire que son amour est plutôt incomplet. Ma peur de le blesser. Ma peur d'être blessée. Je vais dans mille directions et je suis perdue. Mes chemins s'entrecoupent et je perds le nord. J'aurais besoin d'une boussole infaillible. Quelque chose de sûr, de stable et de constant. Je suis tout sauf cela. Je suis une eau qui suit le courant. Je suis un feu qui s'emballe. Je suis… je suis… moi. Faudra que je fasse avec ! Mon contrat est signé depuis longtemps et les clauses de remplacement ou de changement – écrites en minuscules, bien sûr ! – sont difficiles à réaliser. Pas impossibles. Juste difficiles. Des fois, j'ai l'impression de chercher la vraie Fred et de ne jamais l'attraper vraiment. Je suis pour moi un savon qui glisse entre les mains. Je me cherche, me trouve et… me cherche encore. C'est sans fin ? Un cycle infini ? Infernal ? Si je ne me décode pas moi-même, qui le fera ? Je ne veux pas être la Fred indécryptable.

Tout ce détour pour m'avouer que la perspective de ne pas voir Félix pendant une semaine ne me dérange pas. Pire. Je pense même que c'est de Sarah dont je m'ennuierai. De sa folie ! De ses élans ! De son éternel optimisme ! De son côté fonceur ! Si je l'avais rencontrée chez moi, avant, au tout début de nos aventures du divan rose, elle aurait eu sa place avec nous quatre. On le partagerait à cinq, mon beau divan. En fait, je devrais dire que, je le partage désormais ainsi parce que dans ma tête, elle fait partie de mon cercle d'amies. Dommage que Zoé et Emma ne la connaissent pas autant. Un jour, peut-être...

En attendant, je me concentre sur mes huit jours (et huit nuits !) avec mes anciens-et-toujours amis. J'espère bien revoir Théo. Un peu, du moins. Aux dernières nouvelles, Rosalie m'a dit qu'il se tenait souvent avec Roxane, une nouvelle à l'école. Encore une entourloupette du destin : c'est presque la même chose que pour Félix et moi. Les deux gars de la place qui accueillent la « nouvelle »... Ça me fait sourire, tout ça. Et après une courte analyse, mon cœur n'a même pas mal. Qu'est-ce qui se passe ?

Je ne ressens plus rien ou je suis simplement bien ?

... Retour

Plonger dans son ex-vie et en ressortir en un seul morceau constitue un exercice périlleux pour mon cœur. Pour résumer la semaine, je choisirais l'expression « comme avant ». Rien n'a changé. J'ai glissé dans mes anciennes pantoufles et je les ai trouvées tout aussi confortables, douces et moelleuses qu'avant. Je me suis faufilée dans mon monde avec grâce et aisance. Ça coulait tout seul ! Pas une anicroche ! Pas une fausse note.

J'ai souhaité au moins dix millions de fois que la semaine ne se termine jamais. Où est ma gentille fée marraine, pour exaucer les vœux ? Je la supplierais de me télétransporter de cet autobus qui me ramène à Saint-Gilles directement dans la chambre de Rosalie. Ou sur le banc le moins enneigé du parc ! Dans la cuisine chez Zoé ! Dans le lit, prise en sandwich entre Emma et Rosie ! Au centre commercial ! À la maison des jeunes. Dans la chambre de Rosalie à trier le courrier du divan rose. Ou tout simplement en pyjama en train de regarder deux films de suite. Ou au cinéma ! Avec les filles.

Et Théo.

Et Roxane.

Et Mathis.

Eh oui ! On s'est retrouvés – supposé-ment par hasard selon Rosalie, mais je doute un peu – toute cette gang au cinéma. Je n'ai pas beaucoup écouté le film. J'ai analysé la situation. Déformation acquise depuis que je suis l'auteure des chroniques. Pire, j'ai pris des notes. Que je n'ai montrées à personne, bien sûr ! Même pas à Rosalie. De toute façon, dans le cinéma, elle était sûre-ment trop énervée d'être assise à côté du beau Mathis – venu avec son ami Simon qui, lui, était à côté de moi. Question subtilité, Rosalie aurait pu se forcer ! Et de l'autre côté, c'était Théo. Mais même si j'avais imaginé ressentir un troupeau de papillons dans mon ventre et un crescendo d'électrochocs dans mon cœur la première fois que je reverrais Théo… il n'y a rien eu. Pas de secousse ! Pas de frétillement ! Même pas de « oumpf ». Juste… une sensation de « pure normalité ». Sans plus ! Roxane était là et je l'ai trouvée gentille. Gênée, bien sûr ! Elle n'osait pas trop prendre sa place dans notre grand groupe plutôt bruyant, mais elle n'a pas fondu non plus. Elle s'intègre en douceur. Après ma subtile analyse, j'ai même détecté chez elle les caractéristiques d'une potentielle amie : elle aime rigoler et m'a confié créer aussi des colliers. Même si elle semble trouver Théo de son goût – sans trop le laisser paraître, quand même – je ne vois pas cela comme une menace… En tout cas, pas une grosse menace ! Et puis, Théo, j'étais contente de le retrouver, mais n'avais pas envie de lui sauter dans les bras. Je ne me comprends plus. Pourquoi avoir rêvé de lui, alors ?

Pour sa part, Rosalie a l'air de trouver Mathis bien de son goût. Ses yeux brillaient même dans le noir du cinéma et j'ai entendu son rire en cascade plusieurs fois quand Mathis se penchait pour lui parler. De son côté, lui, c'est assez clair qu'il la trouve de son goût. Ses yeux ne font pas que briller quand elle est là… il resplendit en entier. Un Mathis fluorescent !

Et Félix ? Rien à signaler. J'ai hâte de lui parler de ce que j'ai fait et des films que j'ai vus, mais sans plus. Est-ce que je suis au neutre ? Déconnectée de moi ? Avant, je ressentais toutes mes émotions à la puissance mille (ou presque !) et là, je navigue dans une eau stable, mais ultra floue. Trop stable. Je ne suis ni triste ni contente. Ni fâchée ni blessée. Je suis… je suis… Je n'arrive pas à trouver le mot pour décrire comment je me sens. Je suis entre-deux ?

En fait, c'est quand on parle d'amour que je me sens ainsi. En amitié, les ailes me poussent encore. J'ai ressenti plein de bouffées d'amour pour mes copines ! Je les ai écoutées me raconter leur vie et tout ce qui s'était passé dans les derniers mois et j'étais top synchro sur leurs émotions. Mais côté amour, c'est le contraire. Le vide. Le néant, presque. Bref, je suis mêlée.

Mêlée pour moi, mais pas pour les autres. Rosalie m'a révélé un secret. Dommage qu'on n'était pas sur mon divan pour ce genre de confidence. Mais pour créer l'ambiance, on a pris une doudou rose pelucheuse dans la chambre de ses demi-sœurs et on l'a étendue sur son lit. Effet escompté ! On a jasé de…

la lettre anonyme qu'elle a reçue dans le lot de courrier pour la chronique.

« *Pour Rosalie. Tu es une fille formidable. Vraiment. Ne l'oublie pas.* » Douze mots qu'on a décortiqués pendant plus de deux heures. Ça veut dire qu'on a passé dix minutes sur chaque mot… Un peu exagéré, surtout pour genre le « l' » ou le « une ». C'est de l'analyse purement mathématique, bien sûr. Mais juste pour dire que cette missive nous a intriguées.

Une lettre écrite à l'ordinateur. Adressée à elle particulièrement. Déposée dans la boîte au journal étudiant juste avant la relâche. Donc, c'était :

— Quelqu'un qui ne voulait pas se faire reconnaître.

— Quelqu'un qui savait que c'était Rosalie qui écrivait la chronique.

— Quelqu'un qui la connaît un peu.

— Quelqu'un qui croit que Rosalie aurait pu reconnaître son écriture.

Je pense que c'est quelqu'un qui en sait un peu plus que la plupart des gens. S'il a pris la peine de préciser « Pour Rosalie », c'est qu'il sait que je fais partie du projet. Et à l'école, bien sûr, plusieurs élèves ont fait le rapprochement et se doutent peut-être que j'aide Rosie, mais leur nombre est tout de même restreint. Ce qui me laisse croire que c'est quelqu'un qui nous connaît. Possiblement même quelqu'un près de nous.

En fait, je suis A.B.S.O.L.U.M.E.N.T. certaine que c'est Mathis. Sinon, qui? Son ami Simon? Quelqu'un d'autre au journal? Pierre-Hugues, son ex, qui a des remords? Théo? Les autres gars de la bande?

C'est Mathis, c'est sûr! Mais comment le lui dire? Rosalie n'avait pas fait les mêmes déductions rapides que moi. Mais une fois que je les lui ai exposées, elle s'est rendue à l'évidence. Il n'y a pas beaucoup de chances que ce soit un parfait inconnu. Un prince charmant errant ! Un superhéros discret ! Même si elle le souhaiterait bien… Rosalie aurait aussi besoin d'une fée marraine efficace pour que ses idéaux amoureux prennent forme. Secrètement – mais ce n'est pas un secret pour personne, surtout pas pour moi –, Rosalie rêve d'une idylle digne du film romantique le plus guimauve de l'histoire. Quelque chose de totalement invraisemblable… qui se réalise finalement par le truchement de mille hasards et de sourires. Une histoire que même Cupidon n'aurait pu imaginer. Avec cette lettre, elle pensait que le futur-grand-amour-de-sa-vie-pour-toujours-et-plus-encore venait de se déclarer et de presque se matérialiser devant elle ! Avant qu'elle ne s'enflamme trop et qu'elle parte sur on ne sait trop quel nuage vaporeux, j'ai prononcé avec toute la délicatesse du monde mon pressentiment. Qui d'autre que Mathis pourrait être l'auteur de ces douze mots ? Qui ?

Ses yeux se sont embrumés. Aucune larme n'est tombée, par contre. Elle était simplement déçue. Ses espoirs se désintégraient. « Encore une fois, je viens de passer juste à côté de la possibilité de voir mon rêve se réaliser ! Vivre une vie comme au cinéma ! » Franchement, je trouve qu'elle exagère. Beaucoup. Sa vie n'est pas finie. Toutefois, je n'ai fait aucun commentaire. Trop de risques de me faire tomber sur la tomate ! Elle n'aurait pas apprécié. Parfois, on sait pertinemment ce que l'autre va nous dire et même si on reconnaît au fond de nous que c'est la vérité, on n'est juste pas prête à l'entendre... Au moins, elle a ajouté quelque chose comme : « Ce sera pour une prochaine fois... » Ça m'a remonté le moral. Fiouuu ! Elle n'est pas en déprime profonde. Je n'aurais pas supporté une autre période « bouafff », surtout pas durant la plus merveilleuse semaine de relâche de ma vie! Non, pitié!

Des fois, j'ai peur qu'elle passe à côté d'un vrai amour juste parce qu'elle attend celui qui sera gigantesque avec des allures d'Hollywood. Promesse tenue : j'ai réprimé mes grands discours. Nos idées et nos grands conseils, on les garde plutôt pour les dernières réponses qu'on a à écrire.

Avant que la lettre anonyme nous fasse tomber dans une autre mini chicane « Tu entres trop dans mon jardin » (et je n'avais aucune envie qu'on en vienne à parler de Félix… ou, pire, de Théo !), on s'est mises au boulot même durant la semaine de relâche. On a décidé de prendre de l'avance. On a créé un petit bureau à Rosalie où elle peut trier les lettres. Sa mère nous a donné des vieilles chemises pour classer les documents et on a écrit des noms pour chacun des dossiers.

« Lettres plates », « Lettres moyennement intéressantes », « Lettres étranges », « Lettres à répondre », « Lettres répondues » et… « Lettres très anonymes à suivre ». On a créé cela au cas où on en recevrait d'autres de l'amoureux mystérieux de Rosalie. Ensuite, durant la semaine, on a fait le ménage dans toutes les lettres. Ça évitera à Rosalie de me faire la lecture ou le résumé de tout ce qu'elle aura reçu.

On a écrit la quatrième lettre ensemble[6]. Une première ! On a pu barbouiller, raturer et griffonner en même temps sur la même feuille : génial ! J'ai adoré. Je voudrais tant que Rosalie soit toujours proche. Ce serait plus facile. Et j'aime bien lire les lettres, aussi, les feuilleter, les manipuler, etc. Ainsi, c'est un peu comme si je touchais à la vie de leur auteur. Aussi, leur écriture révèle beaucoup. Parfois plus que les mots

[6] Voir lettre 4 en annexe !

enlignés dans un courriel froid. Les mots sont durs sur un écran d'ordinateur ; seuls des yeux perçants arrivent à les démolir pour trouver le sens caché. Tout ce qu'on écrit cache une autre réalité. L'écriture manuscrite, c'est une eau plus limpide. On voit si la personne tremblait quand elle écrivait. On devine où elle était (si la lettre sent le steak ou si c'est une feuille découpée à même un cahier, sûrement durant un cours !). On peut presque y voir miroiter ses états d'âme selon la disposition et la forme des lettres. La couleur du crayon utilisé, aussi. Plein d'indices ultra révélateurs. Je n'aurais jamais cru que je pourrais autant deviner les autres.

Finalement, Rosalie m'a donné une vingtaine de nouvelles lettres déposées dans la boîte à la maison des jeunes durant la semaine. Elle en aura beaucoup d'autres. Moi, je m'occuperai du compte de courriels. Il nous reste quatre lettres à écrire d'ici la dernière publication du journal de l'école. On a décidé déjà des deux prochaines[7] et on se laisse le choix pour les deux dernières. On est déjà rendues au milieu de notre projet. Le temps file.

L'autobus file aussi. Dans moins d'une heure, je serai de retour dans mon deuxième chez-moi. Félix et Sarah ne seront pas de retour avant demain soir. Si ça se trouve, on ne se verra que lundi sur le chemin de l'école. C'est correct ! Pour l'instant, j'ai surtout hâte de revoir maman. Même si on se parlait tous les jours, ce n'est pas la même chose. Elle est la personne qui me rappelle le plus Rosalie. Et celle dont je suis la plus proche, surtout ici, dans mon chez-moi obligé. Lors de nos appels, j'ai senti quelquefois dans sa voix et dans ses courts silences comme une envie de me dire quelque chose. Un secret ? Une

[7] Voir lettres 5 et 6 en annexe !

révélation ? Son nouvel amour ? Je n'ai pas osé poser de questions. C'est plus gênant encore de marcher dans le jardin secret de sa mère. Elle me le dira bien en temps et lieu… On demande l'opinion des autres quand on est certain de vouloir l'entendre. Je patienterai. À moins que je suggère à ma mère d'écrire ce qui la chicote à « En direct du divan rose ». On n'a pas dit qu'on ne répondait qu'aux jeunes.

Ça me fait sourire. Tout plein. Même si vingt-six ans nous séparent, il y a des tourments de l'âme et des histoires de cœur qui ont franchement les mêmes couleurs…

Malaise grandissant

J'ai trouvé les premières semaines pénibles. Affreuses. Douloureuses, même. Comme les marques laissées par un diachylon enlevé trop brusquement. La peau surchauffe et picote pendant quelques jours. Je me sens pareille, mais à la grandeur du corps. Au lieu d'un pansement, c'est mon ex-vie qu'on m'a arrachée. Séparation trop raide, je crois. Plusieurs fois par jour, quand je fermais les yeux, c'était pour me retrouver en pensée chez Rosalie. Chez moi. Le vrai chez-moi. À l'extérieur, rien n'y paraissait. Ni avec ma mère, ni avec Rosalie, ni avec Sarah ou Félix. En vraie pro, je faisais celle qui était bien. Mais je vivais un choc post-traumatique. En ayant vécu à nouveau dans mon monde, je me sentais encore plus démunie dans celui-ci.

Pour accentuer mon état d'esprit vagabond et mon cœur sur la flotte, tous ceux qui m'entourent semblent être dans un clafoutis d'émotions aussi. Quelque chose de difforme, gluant et qui file entre les doigts. Bref, ils ne sont pas dans un meilleur état que moi! Un pied ici et l'autre sur une lointaine planète ou dans une autre galaxie. On pourrait croire que j'ai été propulsée en plein festival international des étourderies et des gens mêlés.

Mon univers tourne totalement à l'envers. Ma mère habituellement pimpante et animée par douze mille projets (comme moi!) est au ralenti. Tous ses gestes sont lents comme si elle traînait un poids lourd – et imaginaire – sur son dos qui l'oblige à aller lentement. Sa tête est ailleurs! Elle prépare deux fois des rôties et fait déborder son café en y ajoutant trop de lait. Le soir, elle me pose souvent deux fois de suite la même question. Les infos rebondissent sur ses oreilles, et son cerveau préoccupé n'assimile rien. Blocage ! Toutefois, elle se précipite – et le mot est faible – sur le téléphone dès la première sonnerie et efface – ou plutôt elle tente de le faire – le numéro sur l'afficheur.

Félix, c'est tout le contraire ! D'habitude, il est calme et prévisible, sans stress et avec une énergie et une humeur stables. Là ? Revirement de situation ! Il jongle avec des montées trop vives d'irritabilité. Je m'approche de lui. Il se met à se dandiner et à bouger, manifestement incommodé par ma trop proche présence. Sa sœur lui pose une question. Il hausse les épaules d'un air agacé. Ce n'est pas familier chez lui, toutes ces réactions. Chez ma mère non plus ! Qu'est-ce qui se passe ?

À l'autre bout du clavier, Rosalie est restée la même. Sérieux, un peu de stabilité me fait du bien ! Même si cela veut dire que Rosie reste sur sa position. L'auteur de la lettre n'est peut-être pas Mathis… elle en a reçu une autre. Oui ! Une autre lettre ! Je dois avouer que c'est quand même excitant ! Échanger des missives secrètes fait rêver à une romance merveilleuse. Dans un film, oui. Dans la vraie vie ? C'est une autre histoire. Mais le contenu de la lettre pourrait laisser croire que la vie de Rosie pourrait être projetée au grand écran. « *Rosalie, tu es merveilleuse.* » Court et expéditif. Mais cette lettre prouve que la première n'était pas écrite sur un coup de tête. Tout était planifié. L'auteur est tenace. Rosie aussi !

— Voyons ! Mathis et moi, on se voit tous les jours ! Il ne perdrait pas du temps à m'écrire ainsi.

— Hum… hum…

— Je passe au journal tous les soirs avant de partir pour la maison. On a même projeté d'aller au cinéma ensemble, samedi prochain. Avec d'autres amis, mais quand même...

— Hum... hum...

— C'est le gars le moins gêné que je connaisse. Il fonce. Il a fait une annonce hier à l'interphone; il n'était même pas nerveux une seconde. Il connaît tout le monde à l'école. Tout le monde le connaît! Il est même capable d'aller déranger le directeur pour avoir des sous de plus pour le journal. Franchement, il ne m'écrirait pas des petits mots ainsi... Il me parlerait face à face, c'est bien plus facile!

— Hum... hum...

Tandis que je « hum humais » ainsi, une idée s'est réveillée dans ma tête. Une idée fragile. Une idée copiée. Une idée mystérieuse qui allait éclairer ma vie. Peut-être! Hum... hum...

— C'est moi ou tu n'es pas très bavarde, Fred? Qu'est-ce qui se passe?

— Je suis prudente pour ne pas abîmer ton jardin. J'aime mieux me taire… Je ne crois pas ce que tu dis et tu ne crois pas ce que je dis. On est au point neutre. Ça ne sert à rien que je me mouille en te disant ce que tu ne veux pas entendre. L'équilibre précaire… à un moment donné, il y aura une lettre ou un événement qui fera pencher la balance. On aura la réponse… Mais en tout cas, Rosie, je n'aurais pas pensé que ce serait une aventure aussi rebondissante…

— Oui, c'est vrai ! On est rendues des vraies chroniqueuses… Tu penses qu'on pourrait faire de la radio, un jour ?

— Qui sait… En attendant, on a encore du boulot !

— Dans deux semaines, on s'envoie les choix possibles pour les dernières chroniques. Toi, as-tu reçu des lettres intéressantes dans le courriel ?

— Oui, oui ! Justement, je ferai le ménage complet et t'enverrai ma sélection. On choisira les dernières lettres…

— Dernières lettres, c'est fou à dire ! On dirait que c'est hier qu'on a commencé !

— C'est vrai ! Le journal arrête de publier en mai. Dommage qu'on n'ait pas embarqué dès le début de l'année ! Mais on se reprend l'an prochain, n'est-ce pas, meilleure coauteure du monde ?

— Promis !

Peut-être que l'auteur mystère récidivera. Mais une chose est sûre : on recevra au moins une autre lettre mystérieuse. Je me suis endormie le sourire aux lèvres.

Je serai l'auteure de la prochaine lettre qui secouera les chroniques « En direct du divan rose ».

Moi. Fred, la spécialiste des problèmes des autres, s'ouvrira le cœur pour mieux trouver ce qui cloche en elle. Qui sait, si Rosalie analyse ma situation – sans savoir que c'est moi –, peut-être qu'elle trouvera ce qui ne va pas dans ma vie et pourquoi j'ai l'impression d'aller toute croche ? Mieux encore, en me relisant, je mettrai peut-être le doigt sur mon propre bobo. Je m'autodiagnostiquerai ! Ensuite, je passerai à l'action pour me soigner.

Au petit matin, j'ai donc pris le taureau par les cornes. Un splendide soleil illuminait ma chambre. La fenêtre entrouverte laissait entrer le premier vent frais du printemps. C'est un jour nouveau.

Assise en indien sur mon divan, j'ai écrit. Écrit. Écrit. Mon brouillon faisait à peu près cinq pages. Ce n'était plus du tout une lettre, mais un journal intime. Un déversement de mon trop-plein. Une décharge d'émotions brutes et mélangées. Franchement, je ne pouvais tout de même pas envoyer cela par courriel ! C'était d'une non-subtilité flagrante ! J'ai donc réécrit. Réécrit. Réécrit. J'ai raturé (beaucoup !), enlevé des bouts (énormément), reformulé des idées (à outrance) et finalement j'ai simplifié le tout (à l'extrême!).

Après un avant-midi à user mon crayon et mon clavier, j'ai finalement pondu ma lettre finale. Un ramassis concis de tous mes sentiments contradictoires dans la forme la plus épurée possible.

En amour, est-ce qu'on peut se tromper? Est-ce qu'on peut réaliser qu'on n'est pas vraiment en amour? Même quand tout semble bien aller. Même quand on a un amoureux gentil. S'il vous plaît, j'ai besoin d'aide. Je n'y vois plus clair.

Méli-Mélo

Il fallait que ça soit…

… court. Moins de chance que Rosalie me reconnaisse.

… général. Même si ce n'est pas gentil, j'espère ne pas être la seule à me sentir ainsi.

… précis. Il ne fallait pas que ça soit trop flou, car j'ai besoin d'une vraie réponse.

C'est bon ! Tout est là ! Pour que ma périlleuse mission soit complète, j'ai créé une adresse de courriel fictive pour envoyer ma lettre. Pas question de laisser passer cette information cruciale sous le nez de Rosalie même si je pourrais tout effacer de notre boîte de réception. Mais on n'est jamais assez prudente ! Je ne veux pas qu'elle associe Méli-Mélo à moi. Oh non ! Pas question !

C'est fait. Je ressens un grand vertige. Dans ma tête, je suis Fred la funambule qui marche délicatement sur un mince fil de fer. Maintenant que j'ai fait un pas, pas question de revenir à la case départ.

Il faut me rendre de l'autre côté. Impossible de se retourner, sur ce fil. Une seule issue possible : continuer.

Donc, je continue. Mon prochain pas dans la vraie vie : faire en sorte que la lettre de Méli-Mélo soit choisie pour publication. Je plaiderai ma cause, car j'ai besoin d'une réponse. Sérieux ! J'en ai besoin... Il nous reste deux chroniques à faire. Je convaincrai Rosalie que c'est une des deux lettres à choisir. IL-LE-FAUT !

Des fois, j'aurais envie d'écrire une lettre sur un ballon gonflé à l'hélium pour l'envoyer dans le ciel. L'univers a peut-être des réponses pour moi. Mais comment m'enverrait-il la réponse ? Il y a une ligne directe ? En attendant, j'espère plutôt qu'« En direct du divan rose » me donnera de bonnes idées... sans avoir à mettre mon cœur sous la loupe des autres. Il y a des bouts de mon jardin où les mauvaises herbes envahissent mes plates-bandes en ordre. Trop de broussailles! Trop de pissenlits! Trop d'herbes folles! Ces parties-là, j'aime mieux ne pas les montrer aux autres tant que je n'aurai pas eu le temps d'y faire un bon ménage.

Des fois, j'aurais envie de redevenir petite et de me laisser bercer. Je m'invente des problèmes ou j'essaie tranquillement de devenir... grande. De devenir... moi!

Des fois, je pense définitivement trop. Beaucoup trop. Rien à y faire, je suis comme cela!

Frissons

Un jour, le printemps est arrivé à Saint-Gilles. Même que ce soir, il fait très chaud, pour la mi-avril. En ville, Rosalie m'a dit qu'elle se promène en jupe sans collant, juste des leggings au maximum. Ici, pas encore ! Mais j'ai au moins rangé mon gros manteau et je peux sortir en simple veste. J'en profite pour retourner sur le bord de la rivière. J'adore y marcher. La neige n'a pas encore complètement disparu, mais la rivière se dégourdit peu à peu. Le vert des premières pousses se mêle aux dernières blancheurs laissées par l'hiver. Il reprend ses droits sur les berges, étend son territoire et retrouve sa place.

Félix a accepté de venir me rejoindre après le dîner, mais il n'est pas encore arrivé. Être seule et laisser flotter mon regard sur l'eau m'apaise. On dirait que j'imite la rivière et me sens revivre. Je me réveille. Je m'étire. Je reprends ma place. Je suis une fille de saison tampon. J'aime le printemps, pris entre l'hiver rude et froid et l'été souvent trop chaud et trop humide. Le printemps, c'est frais et surtout plein de promesses. C'est le renouveau ! Un départ plein d'espoirs ! Même l'expression « ménage du printemps », je l'aime ! Pas pour le vrai de vrai ménage – balai, porte-poussière, seau d'eau et savon –, mais pour le tri et le nettoyage qu'il suppose dans ma vie… Ah oui ! J'aime donc le printemps pour cela. Avec le soleil, le retour des journées plus douces, l'eau qui perce la neige, le vent léger et le grand ciel bleu, il me semble que tout s'éclaircit.

Tant mieux, parce que ce soir, je parle à Rosalie au téléphone pour le choix final des chroniques… et ce ne sera pas facile ! On s'est envoyé notre top cinq des lettres qu'on aime. J'ai un peu triché. Je n'en avais que trois à lui proposer. Deux lettres assez moyennes (presque nulles… oups !) et la mienne. J'ai mis toutes les chances de mon côté. Ingénieuse, la Fred !

Félix est finalement arrivé et on s'est promenés pendant une heure sans parler beaucoup. Finalement, c'est comme avant… On a parcouru précautionneusement les roches libres de neige. Et on a survolé les sujets libres de trop grosses émotions… avec autant de précautions !

— Tu te rappelles, c'était ici que j'avais mis mon cœur…

Comme seule réponse, j'ai timidement souri. Mon cœur a frémi un peu, je crois, à l'évocation de ce souvenir. À moins que ce soit le vent qui m'ait procuré ce minime frisson. Pour véritablement m'avouer qu'il m'aimait bien, l'automne dernier, Félix avait formé un cœur avec des cailloux et avait déposé une lettre en plein centre. C'est à partir de ce moment qu'il est devenu mon amoureux… Non, Félix ne m'est pas indifférent. Il est doux, calme, apaisant, présent, à l'écoute et gentil. Toujours d'humeur égale, jamais très bougon, jamais très exubérant ! Je ne l'ai jamais vu sauter de joie… Il est constant. Comme une rivière qui ne s'emporte jamais. Mais il manque une saveur spéciale à notre amour. Un petit coup de « oumpf ». Ça ne pourra pas durer… c'est clair. Peut-être que, lui aussi, il cherche les mots pour rompre sans tout casser. Qui sait ?

Toutefois, quand il a pris délicatement ma main dans la sienne, précieusement, comme s'il tenait un papillon fragile, j'ai vraiment senti un début de fièvre en moi. D'amour ? Peut-être. Mais j'ai vite été envahie d'un malaise. Je n'étais pas à ma place. Il méritait quelqu'un qui l'aimerait probablement mieux que moi. Qui le comprendrait mieux, aussi… Pour moi, il est un peu trop indéchiffrable…

Finalement, l'après-midi a passé rapidement. Pour une rare fois, j'étais plus perdue dans mes pensées et je ne trouvais plus le moyen de retomber dans la réalité (ou je ne voulais pas y mettre le pied !). Comme le Petit Poucet, j'aurais dû laisser tomber des cailloux pour retrouver le chemin. Être autant dans ma tête a fait en sorte qu'on n'a pas beaucoup parlé. Il faut dire que, pour une fois, je ne voulais pas parler. Trop difficile de cacher mon secret, alors j'aimais mieux me taire globalement et ne pas risquer de m'échapper. Impossible de lui raconter que j'avais transmis une lettre à ma propre chronique ! Franchement ! J'aurais eu l'air de quoi ! Je suis presque un peu gênée moi-même de ma propre initiative! Mais j'ai terriblement besoin de voir plus clair et je n'y arrive pas autrement. Reste que ce n'est pas facile d'agir en catimini, sans laisser d'indices.

J'ai eu encore plus de difficulté à ne rien dire à Rosie. Tenir ma langue relève d'une nouvelle discipline olympique... mais j'aurais besoin de pratique! Surtout qu'elle et moi, depuis toujours (ou presque!), on se dit tout... ou on se disait tout! Pourquoi a-t-on besoin d'un jardin intime rien qu'à soi, désormais? Je me cache ou je me protège? Je suis gênée ou je suis mêlée? Ma mère, à qui j'en ai un peu parlé l'autre soir, m'a dit que je grandissais. Depuis quand grandir nous éloigne de nos amis? Elle a tort (du moins, je l'espère!). Elle dit que, parfois, on a besoin de régler des trucs dans notre tête d'abord, seule, même si c'est difficile, avant de l'annoncer aux autres. Cette discussion m'a encore plus mêlée.

Je sens qu'elle racontait cela plus pour elle que pour moi ! J'ai vu un secret sur le bout de ses lèvres sans pouvoir le déchiffrer vraiment. Mais je sais qu'il est là ! Peut-être qu'elle grandit encore, ma mère ! Et pourquoi je devine tant les autres, mais que je reste un mystère pour moi-même ? Un casse-tête complètement à l'envers. Ou plutôt un casse-cœur dont les morceaux s'agencent de plusieurs façons... reste à trouver la bonne !

Après un baiser volé, laissé du bout des lèvres, je suis rentrée à la maison, enveloppée, les yeux encore pris dans un voile opaque. Je ne vois pas très bien où j'en suis. Mais une chose est certaine : il y a des secrets qui se porteraient mieux à deux. On se fatigue moins ainsi quand on les partage. Nécessairement : on a alors un poids de moins sur les épaules et on a une oreille attentionnée pour écouter nos jérémiades. Sans compter une main rassurante qui nous aide doucement à trouver une solution… Pour l'instant, je suis l'unique porteuse de mon secret et je suis fatiguée. À qui tendre la main ?

AU SECOURS !

Je suis prise au piège. Problème. Gros problème. Gros. Gros. Gros. Dans ma tête, deux mots tournent en boucle : « Bravo, Fred ! » Un écho étourdissant. Je pense que je vais manquer d'air !

Rosalie m'a bien eue. On a choisi la lettre de Méli-Mélo, MAIS (un énorme MAIS en lettres triples majuscules) c'est moi qui dois y répondre. Je vais répondre à Méli-Mélo. Je dois m'« autorépondre ». C'est n'importe quoi. Je ne dormirai pas de la nuit. Je ne sais pas trop quoi faire. Pire… je capote vraiment !

Quelle soirée difficile ! D'abord, je croyais qu'on se parlerait par téléphone. Mais non ! Rosalie a envoyé une demande via la caméra Web et j'ai accepté ! Premier « Bravo, Fred ! » Tout aurait été tellement plus facile si je n'avais pas eu les yeux de Rosalie devant moi ! Je dois avoir eu l'air bizarre ! Déstabilisée et mêlée ! J'ai fait mine d'avoir perdu la lettre. Rosalie m'a vite remis les idées à la bonne place. « Voyons, Fred ! Tu l'as dans les courriels et, de toute façon, tu me l'as envoyée, la lettre de la fille mêlée ! Je te la retournerai ! » Je ne suis pas certaine que j'aime cela savoir (ou entendre !) que je suis la fille mêlée. J'ai failli répliquer : « Je ne suis pas mêlée… » J'ai coupé rapidement mon élan. « Je ne parlais pas de toi, Fred, je parlais de cette Méli-Mélo ! T'es sûre que ça va ? » Oups ! Deuxième « Bravo, Fred ! » Pas le choix ! Je devais plonger et convaincre Rosie de choisir ma lettre. Pas question de reculer rendue où j'étais.

J'ai énuméré mes arguments les plus convaincants. « C'est une lettre courte, mais remplie d'émotions!», «On va pouvoir aborder autant l'amour que le désir de se trouver soi-même!», «C'est une excellente dernière lettre, je trouve», etc. Rosalie a dit oui rapidement. Étonnant, car j'étais persuadée qu'elle voudrait une dernière lettre plus dramatico-romantico-tragique! Je suis restée bouche bée quelques secondes et c'est là qu'elle a sorti: «Alors, puisque tu as l'air d'y tenir tant que cela, et cette Méli-Mélo fait assez pitié quand même, écris cette lettre, je me charge de l'autre!» Euhh? Quoi répliquer (sans rien laisser paraître… la caméra Web est toujours en action!)?

J'ai bafouillé un peu et essayé de lui faire croire que je serais mieux pour l'histoire de la fille qui se dit ordinaire et transparente. «C'est tout le contraire de toi, ça, Rosie! Tu ne peux pas prendre cette fille!» Rosie n'a rien voulu entendre. «Non, toi, tu prends Méli-Mélo! Tu seras excellente pour lui répondre, j'en suis sûre! On ne va pas jaser de ça toute la soirée, quand même!» Vraiment! Et je ne sais pas si je fabulais, mais il me semble avoir détecté une lueur un peu espiègle dans le regard de Rosie. Aurait-elle deviné?

Enfin… C'est comme cela que je me suis retrouvée à devoir me répondre. J'ai le vertige! J'ai un peu mal au cœur! J'ai besoin d'air… «Bravo, Fred!» Je suis une araignée prise dans sa propre toile. Quoi faire? Au secours! Je dois trouver une solution avant la remise de la réponse et la fin du courrier «En direct du divan rose». Dans une semaine. Sept petits jours. Sept petites nuits. Pour remettre ma vie en ordre. Toujours dans le secret. Ou presque…

Double surprise

Au fond, en écrivant, on éclaircit notre nuage de brouillard. En enfilant les mots, je découpe la brume et la réduis en de minuscules nuages. Entre eux, je finis par voir un peu plus clair. Aussi, notre main est plus lente que notre esprit. Elle nous oblige à nécessairement effectuer un premier tri. Sérieux ! J'aime me répondre. Je me glisse dans un personnage pour analyser la situation de la fausse Méli-Mélo sous un autre angle. Quand on se regarde, on ne se voit spontanément que d'une seule façon. On ne cherche pas plus loin que le reflet aperçu. Là ? Exercice plus poussé. Je me dissocie de moi pour me répondre ! Même si j'ai pensé perdre la tête au départ, je trouve l'expérience vraiment chouette, finalement. J'ai même noté le tout dans un petit carnet (rose, bien sûr !). J'ai au moins six pages de brouillon remplies d'idées pour la rédaction finale de la réponse. Je me relis et me comprends mieux. Peut-être que je devrais commencer un journal intime. Excellent moyen d'éviter les pertes de contrôle dans ma propre vie…

Je suis vraiment fière de moi ! Même si j'entends encore « Bravo, Fred ! », cette fois-ci, le ton n'est plus ironique ! Il est vrai et juste ! Quelle surprise, quand même ! Vraiment ! Ce courrier va m'avoir aidée à me retrouver. Simplement. Doublement. Même triplement. Je ne m'étais pas si perdue que cela ! La suite des choses allait me le prouver.

Étendue sur mon lit, la tête calée sur mon oreiller rose, un rayon de soleil de fin d'après-midi sur le bout du nez, c'est l'heure de notre dernière réunion télé-phonique de production des chroniques.

— Tout va bien dans ta rédaction, Fred ?

Il y avait des sous-questions cachées là-dessous. Rosalie se doute de quelque chose, ou quoi ?

— Oui, pas de problème ! J'ai même terminé[8]. En un temps record ! Et toi ?

Je ne mentais même pas. C'était vrai.

— Moi aussi ! Je t'envoie la septième[9] lettre tantôt. Wow ! On a terminé notre demi-année de courrier « En direct du divan rose » !

— C'est moi ou tu ne sautes pas de joie ?

— Il y a quelque chose que je voulais te dire.

— Hum hum !

— Arrête de « hum humer », s'il te plaît ! Tu peux piétiner mon jardin tant que tu veux. Tu avais raison…

[8] Voir lettre 8 en annexe !
[9] Voir lettre 7 en annexe !

— Quoi ?

— Le gars qui m'écrit… c'est Mathis !
Je le sais, tu vas me dire : « Je le savais ! »
Dis-le pas, s'il te plaît ! Je l'entends pareil !
Dis-le pas !

— Je ne le dis pas…

Je ne pouvais pas m'empêcher de
sourire ! Je-le-savais-depuis-le-début.
Mais Rosie n'avait pas besoin que j'en
rajoute, et j'ai compris son message.

— J'aurais aimé que ce ne soit pas
lui, mais je l'ai surpris en train d'écrire
à l'ordinateur au local du journal. Il a
oublié de fermer le document et quand
je me suis assise pour travailler, il y avait
un troisième message écrit.

— Ça disait quoi ?

— « Rosalie, je t'aime… je crois ! »

— Oups !

— Comme tu dis ! C'est assez clair,
disons ! Oh, Fred, c'est niaiseux, je sais.
Mais je voulais que ce soit n'importe qui
sauf lui… Je sais que je rêve que ma vie

soit un film, parfois. Mais là, juste pas lui, ça aurait été correct ! Et tout le temps où tu me disais que l'auteur était Mathis, je voulais juste ne pas l'entendre parce qu'au fond de moi je me doutais bien que c'était lui…

— Et ?

— Et ? Et ? Et ? Ben c'est ça !

Et voilà Rosalie qui s'impatiente.

— Je ne comprends pas…

— Et je ne l'aime pas, c'est tout !

— C'est écrit quelque part que tu dois absolument l'aimer ? Il y a un contrat qui dit ça ? Tu l'as signé ?

— Fred, ce n'est pas drôle ! Mathis, je l'aime. Beaucoup. Mais comme ami. Pas comme amoureux…

— Ce n'est pas un problème ! Ça arrive à des tas de gens, tu sais !

— Je sais…

— Écris-lui pour le lui dire… En répondant à ma… à la dernière lettre, je veux dire, je me suis rendu compte qu'on se découvrait beaucoup en écrivant. C'est parfois plus simple !

— Impossible ! Je lui ai déjà parlé.

— Déjà !

— Pas capable de laisser les choses ainsi ! Fallait que je règle ça vite.

— Raconte !

— Je lui ai simplement dit : « Je sais » en faisant un signe de la tête vers l'ordinateur avec son document toujours affiché. Il est devenu ultra rouge ! Je le comprends. Moi-même je voulais mourir de gêne. Mais je voulais que ça arrête ! J'avais la preuve que c'était lui, je ne devais plus vivre dans l'espoir que c'était un prince charmant qui m'écrivait ! Je lui ai bafouillé quelques phrases un peu nulles comme : « J'aime mieux être ton amie », « Je ne t'aime pas… comme une amoureuse », etc. Ç'a sorti tout croche. C'était boiteux ! Pour une fille qui écrit le courrier du cœur, je me trouvais maladroite. Il a souri. De force, on s'entend. Personne n'aime se faire dire ça ! Et il est parti.

— T'aurais mieux fait d'y penser un peu plus. Ou de lui écrire, non ? Simple suggestion !

— Non ! C'était là qu'on réglait le tout. Je suis allée le rejoindre dehors. En route, j'ai retrouvé les bons mots ! Je ne pourrais pas te les répéter tous, mais j'ai réussi à lui dire que je l'aimais sincèrement beaucoup, mais que d'accepter de devenir son amoureuse, ce serait injuste ! Ce serait ne pas être totalement moi… Ce serait me tromper… tu dois comprendre, non ?

Encore des sous-entendus…

— Pourquoi tu dis que je comprends ?

— Freeeeeeeddd !

— Quoi ?

— Je sais !

— Tu sais quoi ?

— Je sais que c'est toi.

— Moi ?

— Arrête ! Méli-Mélo, la fille mêlée, celle qui a peur de se tromper... c'est toi ! Rien que toi !

— Ben non, voyons !

C'est clair : je ne gagnerai jamais d'Oscar. Je suis trop poche comme comédienne ! Même au téléphone !

— N'essaie pas ! Je lis entre les mots, dans les silences et dans ta voix, tu sais.

Moi qui croyais avoir été discrète. Tiens, une panique monte en moi : et si Félix a aussi flairé mes manigances ? Ohhhhh ! Je suis démasquée. Je me rends.

— D'accord ! D'accord ! C'est vrai, c'est moi !

— Ah ! Ah ! Tu pensais me berner ! Je ne suis pas si pire que ça, Fred, n'est-ce pas ?

— Rosie... j'étais tellement mêlée ! L'amour, l'amitié... la ligne entre les deux, des fois on ne la voit pas ou des fois on l'imagine. Ou on ne la met pas à la bonne place! Je me dis que ça se peut, se tromper. Mais que ça ne veut pas dire qu'on n'est pas vrai. C'est juste qu'on est momentanément... dans la lune! Dans un rêve. Je n'ai pas raconté de mensonges à Félix. Je l'aime bien. J'ai besoin de lui. Il me fait du bien. Mais il n'est pas mon amoureux. On ne pourra pas faire semblant encore longtemps... Et je ne voulais rien te cacher vraiment à toi non plus, mais on aurait dit que, pour cette traversée-là, il n'y avait qu'une place dans le bateau... la mienne.

— Je ne te blâme pas! C'est bien correct parfois de ne pas TOUT TOUT TOUT se dire... Moi aussi, je t'ai caché des bouts de moi. J'avais peut-être un peu honte de dire « non » à l'amour de Mathis alors que je te casse les oreilles bien souvent sur les histoires romantiques...

— Même chose ici! Je me disais que tu me trouverais un peu nulle de vouloir laisser Félix... J'ai eu peur aussi que tu croies que j'étais toujours en amour avec Théo. Ce n'est pas ça non plus…

— Ben non, voyons ! C'est ta vie ! Je suis TON amie… moi, je vais te défendre et prendre avec toi le chemin que tu choisiras.

— On dirait qu'on avait peur de se juger et de trop se mêler de la vie de l'autre…

— Disons qu'on a eu le nez dans les affaires de tout le monde ces derniers temps et que, finalement, ça faisait bien notre affaire… Ainsi, on évitait de passer sous notre propre loupe. Pourtant, comme on le fait bien et sans être « gnan-gnan » ou moralisatrices dans « En direct du divan rose », pourquoi on ne le ferait pas avec nos vies à nous ?

— Je détecte une peur irrationnelle, une envie de protéger notre jardin secret et l'acquisition d'un billet « une place seulement » pour aller visiter des bouts de soi inconnus avant de revenir vers les autres les idées plus lumineuses…

— Tu as écrit la même chose dans la réponse, toi ? Il me semble que ça sonne ainsi.

— Tu verras bien… En attendant, je te laisse ! J'ai comme quelque chose à régler, moi !

— Merci, Fred, d'être mon amie. T'es la meilleure amie que je connaisse…

— Oh ! Rosie ! Sans toi, je ne serais pas tout à fait moi. Tu me fais un bien fou, toi aussi ! Vraiment !

— Allez ! Allez !

La ronde des nouvelles

Pour une rare fois, je suis allée directement chez Félix sans même l'appeler avant pour lui donner rendez-vous sur notre roche près de la rivière. Je l'ai entraîné dehors quand même. J'aime mieux le grand air pour annoncer les nouvelles bouleversantes. J'avais fait la même chose avec Théo quand je lui ai annoncé que je déménageais. J'ai besoin d'espace pour étaler mes émotions et les laisser s'envoler. Dans une pièce, elles rebondissent sur le plancher et font des ricochets sur les murs. Dehors, je me sens toujours plus libre de dire tout ce qui me chavire. De dire qui je suis vraiment.

On s'est traîné les pieds dans le gravier sur le bord du chemin pour se rendre jusqu'à l'eau. Même si je savais que je devais le faire, mes mots tourbillonnaient dans ma tête. Le vent – le vrai – s'en mêlait… à mon plus grand plaisir. Mes cheveux se laissaient emporter et créaient un écran temporaire entre Félix et moi. Une fois sur notre roche à rendez-vous – toujours la même depuis l'automne –, j'ai soulevé ma tignasse et l'ai attachée en une queue de cheval. J'ôtais du coup mon masque pour ouvrir mon cœur sans retenue à Félix. J'ai pris une grande respiration, ai plongé mes yeux dans le bleu de la rivière et… Félix a dit : « Je sais. »

— Tu sais quoi ?

— Ce que tu vas me dire…

— Vas-y ? C'est quoi ?

J'étais presque un peu insultée. Pourquoi ne pas avoir fait les premiers pas s'il savait que j'allais lui dire que je ne voulais plus être son amoureuse ?

— Ce qu'il y a entre nous, ce n'est pas de l'amour…

Coudonc! On s'autodevinait chacun de notre bord, mais personne n'osait avouer la vérité. Et puis, pouf! Le printemps arrive et tout le monde réagit! Sérieux, je ne comprends plus rien. Mais en même temps, je suis soulagée (très soulagée, même!).

— Tu as raison… Et comprends-moi bien, Félix! Je t'aime beaucoup! Vraiment! Mais pas comme une amoureuse! Après avoir bien réfléchi et détaillé les soubresauts de mon cœur, je me rends compte que je me suis trompée. Je t'aime peut-être comme un frère à qui on donne la main quand tout chambranle autour de soi. Je dis cela et je ne sais même pas ce que c'est d'avoir un frère, ni même une sœur, finalement, mais j'imagine que c'est un peu ça. Quelqu'un sur qui tu peux compter… Surtout, Félix, je ne veux pas qu'on se fasse mal en jouant le jeu; ce ne serait pas juste et on finirait, un jour, par ne plus s'aimer du tout. Même pas en amis…

— Je pense la même chose. Sauf que toi tu arrives plus à le dire, à mettre des mots sur ce que je ressens. Pour moi, tu es une autre Sarah. Une fille formidable que j'aime beaucoup. Je pourrais te défendre contre n'importe qui ! Que j'entende dire du mal de toi, et je serai toujours là pour te défendre. Je peux t'écouter me raconter tes mille rêves et tes projets toujours flamboyants. Moi, je ne me sens pas amoureux non plus. Je te permets d'utiliser mon cas pour en faire une lettre pour les chroniques ! Je pense que je suis un bon spécimen à étudier !

Il a souri de toutes ses dents. Aucune malice, aucune rancœur, aucune grande tristesse. Bien sûr, une peine navigue dans nos yeux ! C'est normal ! En amour, on veut toujours y croire, et ce n'est jamais joyeux de s'apercevoir que c'est la fin ! J'ai une vague de larmes au fond de mes prunelles. Déclarer son amour autant qu'avouer son « non-vrai-amour » sont deux moments bouleversants… et complètement stressants !

— C'est correct ! On redevient amis et on ne s'en portera pas plus mal. Ton amitié, par exemple, je la garde !

— Moi aussi ! Oh oui !

— Et ta promesse de me faire découvrir la pêche cet été, tu dois la tenir pareil ! Que je sois ta blonde ou pas !

— Oui, oui ! Promis ! Et j'espère bien pouvoir aller en ville avec toi…

— Sûrement !

On a jasé pendant au moins une demi-heure, après nos confidences sérieuses. De tout. De rien. De nous. De lui. De moi. De Sarah. De Rosalie. De nos projets pour l'été pour gagner un peu de sous. Bizarrement, parce que je me sentais bien, j'ai eu envie quelquefois de poser ma main sur son bras ou de le taquiner un peu en le chatouillant.

Et je l'ai fait. Au fond, c'est de suivre notre envie qu'il faut faire.

On s'est salués de la main en prenant les chemins respectifs vers nos maisons. On s'est promis d'être là l'un pour l'autre. De « presque amoureux », on est vite passé à « vrais grands amis ». Un meilleur ami gars, ça doit être super pratique ! Je suis fière de lui avoir dit tout cela. Je suis heureuse qu'il ait compris sans m'en vouloir. De la porte-fenêtre, je l'ai regardé se rendre jusque chez lui.

Je n'ai pas réveillé de remous. Je n'ai pas provoqué un ouragan. J'ai redonné à la rivière et à nos vies la chance de reprendre leur cours normal. À leur guise.

J'allais bien dormir, ce soir... j'en étais certaine.

Erreur.

Ma mère m'attendait. Avec dans ses yeux une nouvelle immense et intense.

— On s'en retourne.

Là, comme mon cerveau était déjà un peu amoché par la jasette avec Rosalie puis par celle avec Félix, je n'ai pas compris tout de suite.

— On déménage, Fred !

— Ah non ! Pas un autre déménagement !

Je n'ai pas pu m'en empêcher. Je ne voulais pas repartir à zéro encore une fois. Pas envie. Du tout.

— Non ! Euhh ! Oui... Mais on retourne chez nous.

— Chez nous... comme dans chez moi ? Avec Rosalie ? Emma ? Zoé ? Chez nous-chez nous, pour vrai ?

— Oui ! Toutefois, on ne retournera pas tout de suite dans une maison. J'ai pensé prendre un appartement juste en face du parc près de chez Rosalie. Tu serais d'accord ?

Si je suis d'accord ? En une soirée, je passe de la fille qui a un chum et dont la meilleure amie reste à huit cent soixante-quatre kilomètres à la célibataire heureuse d'aller habiter à quarante-trois pas de chez sa meilleure amie. Si je suis heureuse ? Je pourrais exploser comme un ballon gonflé au bonheur ! Une cascade d'étoiles déboule sur moi. Je dois illuminer comme une mouche à feu. Je retourne chez nous. J'aime ça, ici, mais ce n'est pas chez nous...

— Pourquoi en appartement ?

— Je laisse mon contrat ici sans autre boulot qui m'attend là-bas.

— Pourquoi on part, alors ?

Un sourire s'est dessiné sur son visage et j'ai partagé mon ciel d'étoiles avec elle. Ma mère est amoureuse... je viens d'allumer.

— Tu sais, Carl, ton professeur d'arts...

— Hum hum...

— On est restés en contact après notre départ et on dirait que, parce qu'on était éloignés, on a réalisé qu'on s'aimait plus qu'en simples amis. On veut se laisser une chance...

— Hum hum !

— Frédérique, je sais que tu payes un peu pour tous ces déménagements et nouveaux départs... m'en veux-tu ?

— Hummmmm... Non ! Pour retourner chez nous, jamais de la vie ! Je vais m'ennuyer de Sarah et de Félix, mais tu sais, si j'ai survécu un an loin de Rosalie, Emma et Zoé, je sais que je suis capable de tout... ou presque !

— Promis qu'on ne bouge plus de là pour un bout... au moins jusqu'à ton bal des finissants du secondaire !

— Oh non ! Désolée ! Faudra revenir ici... en vacances ! Je me suis habituée, moi, à cette rivière ! Et à mes amis...

— C'est vrai ! Promis ! En vacances, ici !

Elle me donne un gros bec sur la joue avant que je monte à l'étage.

En une soirée, tous les morceaux de ma vie en orbite autour de moi ont enfin trouvé leur place. Dans ma chambre, étendue sur le divan rose, je fixe le plafond. J'ai rêvé tout cela? Non. La dernière chronique d'« En direct du divan rose » traîne sur mon bureau. Mon téléphone repose sur mon oreiller où j'étais quand je parlais à Rosalie. Mes pieds ont laissé des traces de sable fin partout sur mon plancher. Je suis vraiment allée à la rivière. Je sens encore le bec de ma mère sur ma joue. Je-n'ai-pas-rêvé.

Me voilà qui fais face au plus beau des problèmes. Quand tu as désormais deux meilleurs amis, qui tu appelles en premier? J'ai procédé en ordre d'ancienneté et ai appelé Rosalie via la caméra Web. Sa réaction en trois parties. D'abord,

son cri a dû crever des millions de tympans. Ensuite, elle a fondu en larmes.
Puis, elle est devenue complètement hys-
térique. Sa démonstration de bonheur
a fait fondre mon cœur. J'ai évidemment
pleuré, réalisant du coup tout ce qui se
mettait en place. Réalisant surtout que
notre séparation n'en avait plus que pour
quelques semaines.

Mais qui dit retrouvailles prochaines
dit aussi départ d'ici. Même si ici n'est pas
chez nous, je suis un peu à l'envers de
quitter Sarah et Félix. Et surtout de leur
annoncer la nouvelle. Je les ai appelés
et leur ai demandé de venir à la maison.
Tout de suite, si possible. Une nouvelle
comme ça, on ne peut pas la laisser
dormir.

— Tu le savais et tu ne me l'as pas dit.
Félix m'a tout de suite accusée de lui
avoir caché la vérité. C'est vrai qu'arriver

chez lui moins d'une heure après l'avoir quitté et lui déballer cette nouvelle un peu maladroitement, ce n'est pas le scénario idéal. Pour une des premières fois de ma vie, je l'ai vu s'emporter. Une chance que Sarah était là. Elle a bien vu que j'étais sincère. Félix s'est calmé. Ma mère a précisé que c'était une journée pleine de rebondissements non prémédités.

Grosses émotions. Quand Félix et Sarah sont partis, en me promettant de m'attendre demain matin comme d'habitude, j'ai senti des ailes pousser dans mon dos. Et même si je trouve que tout tourne un peu trop vite ce soir dans ma tête, je suis dans le plus beau manège du monde... ma vie ! Je n'ai pas le goût de ralentir cette ronde. Ma vie est une roue qui tourne qui tourne qui tourne. Et plus le temps passe, plus il y a des gens qui voyagent avec moi. Dans la même ronde. En boucle. Main dans la main.

Épilogue

Au bout de soi...

Réparer des cœurs blessés, c'est retrouver des bouts de soi dans la vie des autres. Dans un filet de leur regard. Dans leurs mots écrits et dans ceux qu'ils retiennent. Dans leur cœur aussi et surtout! Tous ces bouts d'eux forment de minuscules miroirs qui éclairent finalement notre propre destin. Notre propre chemin.

Écrire les huit chroniques « En direct du divan rose » aura été un plongeon au centre de mon cœur. J'en suis ressortie trempée d'émotions, mais plus sûre de moi. Je me connais encore mieux. Je me suis trompée. C'est vrai. Mais je l'ai dit et j'ai continué. La tête haute. Toujours gagnante. Je n'ai rien perdu, ainsi. Ni moi ni mes amitiés. En avouant nos erreurs, on continue d'avancer. Autrement, on piétine.

On est le 22 juin et on part demain aux aurores. Assise sur le divan rose – même mon lit est déjà dans le camion –, je regarde ma vie dans des boîtes. Dans l'une d'elles, il y a toutes mes perles et mes bijoux en chantier, des roches peintes et une énorme enveloppe avec toutes les lettres de nos chroniques. J'ai remballé mon secret. Personne ne saura, ici, que j'étais l'une des auteures d'« En direct du divan rose ». J'ai emmitouflé mon secret pour le protéger. J'aime beaucoup l'idée de partir sans le leur dire. Comme si je laissais une trace de moi quand même sans que les autres le sachent. Ni Félix ni Sarah ne le diront. Ce secret partagé nous lie. Et qui sait ? On continuera peut-être l'an prochain… Sarah pourrait même prendre la relève… C'est une bonne idée ! On verra…

J'ai douze ans et trois quarts et douze mille idées plantées dans ma tête. Un jardin de projets qui fourmillent et des idées qui grouillent. Et un cœur immense comme une bulle de gomme et mou comme une guimauve, c'est selon...

Même si Félix et Sarah sont tristes, on s'est quittés en multipliant les promesses. Les mêmes que j'avais faites avec Rosalie... et que j'ai tenues. J'ai espoir que ce soit la même chose. Pourquoi ce ne le serait pas ?

Je pars le cœur léger et libre. J'aurai appris ici, près de la rivière, à savourer le temps, à plonger dans le vrai et à nager dans des eaux un peu plus calmes... parfois ! Parce qu'il brûle toujours une flamme au fond de ma réserve d'émotions fortes. C'est moi ! Je carbure au bonheur. Pourtant, ce soir, je ne veux penser à rien. Pas même à l'été qui vient et aux grandes vacances. Pas plus qu'à mon retour chez nous. L'aménagement de ma chambre pour une deuxième fois en moins d'un an...

Non, ce soir, je sais que ça ne sert à rien de trop penser ou de trop planifier. Je me laisse porter par cette nouvelle vie qui s'offre. Demain, c'est demain ! Il peut attendre un peu. Non, ce soir, je ne pense qu'à ma vie qui m'attend toujours droit devant… Je suis prête. Je n'ai peur de rien. De rien…

En direct du divan rose

* Les huit lettres *

En direct du divan rose

Depuis que je suis toute petite, je suis timide. Je suis abonnée au rougissement instantané. J'ai de la difficulté à dire ce que je pense. J'ai un amoureux. C'est mon premier. Mais même avec lui, je suis gênée. Jamais je n'arriverai à lui donner un baiser ou à lui tenir la main. Que faire?

Rose

Oh là là, Rose! Quelle histoire! Tu te sens probablement prise dans une glace. Quand on est gênée, on se sent prisonnière d'un gros tas d'émotions dont on ne sait que faire.

Tu redoutes le moment du premier baiser avec ton chum. Pourquoi? Parce que tu ne sais pas trop quoi faire ni comment ça va se passer? Tu as peur que les autres te voient? Ça te gêne quand on te regarde? Tu as peur de ne pas être « bonne » pour donner un baiser? Est-ce que ton amoureux te presse? C'est trop vite pour toi?

Tu sais quoi? Peu importe la raison, c'est normal! Tout le monde est stressé à l'approche de ce moment. Probablement même ton amoureux! Il a déjà eu une blonde? Ça ne fait absolument rien ! Car il ne t'a jamais embrassée TOI !

Mais de ton côté, il faut que tu trouves la raison qui te rend mal à l'aise. Identifie ce qui te chicote ! Ensuite, tu verras plus clair pour trouver le moyen afin que tout se passe bien ! (C'est si bon le premier baiser, il ne faut pas gâcher ce moment !) Si tu trouves que ton chum te presse, trouve la force en toi de t'affirmer. Autrement, ce moment sera complètement gâché. Tu as peur de te faire surprendre par des amis ou tes parents ? Donne rendez-vous à ton amoureux au parc et trouvez un endroit à l'abri des regards curieux. Ce sera encore plus magique (et telleeeeement romantique !).

Avec tes amis, c'est la même chose. Ose donner ton opinion tranquillement. Une idée à la fois. Dire ce que l'on pense ne veut pas dire être méchante ! Ils choisissent un film qui ne t'intéresse pas beaucoup ? Tu n'as pas besoin d'être bête et dire : « Je ne l'aime pas et je ne l'écouterai pas ! » Tu peux quand même t'affirmer : « Ce n'est pas mon genre de films, mais je vais essayer ! », « Je ne suis pas habituée à ce genre de films, quelqu'un pourra m'aider si j'en perds des bouts ? », « La prochaine fois, j'aimerais bien qu'on loue un film d'horreur, car j'adore cela ! » Juste dire ce que tu penses.

Prescription humoristique

Répète-toi aussi souvent que possible : « Je suis capable de dire ce que je pense. Je suis une fille intelligente et j'ai quelque chose à dire. »

Biscuit chinois

Le rouge est aussi la couleur de la passion et de l'intensité.

Lettre 2

En direct du divan rose

Je suis amoureuse de Sam depuis deux mois. On sort ensemble. Je suis méga heureuse! C'est le gars le plus extra de toute la Terre. Il est beau, drôle, gentil et est un pro aux jeux vidéo et au hockey. Je le trouve génial. Je voudrais toujours être avec lui. Je vais le voir durant ses pratiques de hockey et j'ai même commencé à jouer aux jeux vidéo – même si je déteste ça et que je suis pourrie! – pour pouvoir être plus souvent avec lui. Quand je ne suis pas avec lui, je ne sais pas quoi faire et je l'attends. Mes amies disent qu'il y a un problème. Moi, je pense qu'elles sont jalouses. Qu'en penses-tu?
Grande amoureuse

Jalouses? Non, tes amies ne le sont pas. Elles s'ennuient de toi! C'est facile à deviner! Avant d'avoir ton chum, tu étais avec elles, non? Vous faisiez des activités ensemble? Depuis deux mois, as-tu fait une sortie avec elles ou les as-tu laissé tomber, préférant « attendre » un signe de vie de Sam? Tu sais, fais gaffe! Les amies restent, les chums parfois un peu moins… Si tu les évites depuis que tu es amoureuse, elles se lasseront bien vite de t'attendre. Il faut que tu trouves un équilibre et que tu voies autant ton chum que tes amies. Les amies, c'est trop précieux !

Aussi, tu sembles te fondre à tout ce que fait ton amoureux. Ce n'est pas ça, l'amour ! Il faut que chacun des amoureux continue à aimer et à faire ce qu'il aime. On peut partager aussi, mais les deux doivent faire des compromis ! Tu n'as pas besoin d'aimer tout ce qu'il fait. Par exemple, il adore les jeux vidéo et toi, tu détestes. Au lieu de faire semblant d'aimer tuer des dragons dans des mondes virtuels, profites-en pour voir tes amies et retrouver ton amoureux plus tard pour faire une activité que vous aimez tous les deux. Être séparé quelques heures n'est pas dramatique et ne veut pas dire que tu l'aimes moins. Quand vous vous verrez, vous aurez plein de choses à vous raconter et ce sera encore plus chouette !

Prescription humoristique

Écris cinq choses que tu aimes faire avec ton chum, cinq choses que tu aimes faire avec tes amies, cinq choses que tu aimes faire avec beaucoup d'amis (et ton amoureux) et cinq choses que tu aimes faire seule. Planifie une super semaine avec au moins une activité dans chaque catégorie.

Biscuit chinois

Faire semblant d'être quelqu'un qu'on n'est pas est une mission périlleuse et perdue d'avance !

Lettre 3

En direct du divan rose

J'aime une fille, mais comment savoir si elle m'aime ? Il y a des indices ? Les filles sont tellement compliquées !

Gars mêlé

Voici une liste de faits qui peuvent te laisser croire que la fille dont tu es amoureux t'aime en retour.

- Elle te sourit souvent, voire tout le temps. Vos regards se croisent plusieurs fois par jour. Mais si tu lui parles ou si tu es près d'elle, elle rougit, devient gênée et n'est plus capable de te fixer.

- Elle s'intéresse à ce que tu fais et ce que tu aimes. Si tu la vois comme spectatrice à ton match de soccer, c'est bon signe !

- Elle te trouve drôle même quand ta blague est plus ou moins réussie...

- Elle devient amie avec tes copains.

- Quand tu lui parles, tu as l'impression qu'elle et sa meilleure amie discutent en code secret.

- Tu la rencontres un peu partout sur ton chemin (non, ce n'est pas un hasard !).

- Son agenda est rempli de cœurs et tu y as même lu ton nom griffonné.

- Elle connaît ton numéro de téléphone et ton courriel par cœur.

- Même si tu es poche en géo, elle te propose de faire équipe avec toi.

- Étrangement, ses amies te questionnent beaucoup à son sujet.

La liste pourrait continuer ainsi sur plusieurs pages. Mais ce sont les principaux indices. Et en passant, une fille n'est pas plus compliquée qu'un gars (et n'oublie pas que lui dire qu'elle est compliquée n'est pas un compliment !). La preuve ? Pour reconnaître si un gars l'aime bien, les indices seraient les mêmes !

Prescription humoristique

Arrête de réfléchir et d'analyser comme pour une partie de football et fonce ! Propose-lui une activité ! Tout de suite !

Biscuit chinois

Aujourd'hui est le bon jour.

Lettre 4

En direct du divan rose

Pour moi, pas question de sortir avec un garçon s'il n'est pas sportif, un brin artiste, beau (ça va de soi!), grand, aimant le cinéma (mais pas les films d'action ni les suspenses), blond (et les yeux verts) et musclé. J'ai fait un test dans un magazine et ce sont les résultats du portrait-robot de mon futur amoureux parfait.

Le seul problème est qu'autour de moi il n'y a aucun gars qui lui ressemble. Ça me décourage un peu! Il se cache où ce gars parfait pour moi?

Princesse

Salut, Princesse!

Tu attends vraiment le gars parfait. Le vrai de vrai prince charmant! Peut-être songes-tu même à embrasser un crapaud pour qu'il se transforme en ton gars idéal. L'attente pourrait être longue pour trouver le « parfait » qui répondra à tous tes critères. Mais, surtout, tu risques de passer à côté d'un gars génial juste parce que tu ne te fies qu'à ta liste. Un amoureux ne se commande pas par catalogue, tu sais! L'amour n'est pas mathématique et calculé.

Tu aimerais, toi, qu'un gars te fasse passer un examen (sans que tu le saches, en plus!)

pour savoir si tu es « la » fille parfaite pour lui selon ce qu'il a lu dans un magazine ? Et qui sait, ton gars parfait pourrait être plate à mourir ; avoir une voix de souris ; les yeux verts, mais qui louchent ; aimer les mêmes genres de films que toi, mais s'endormir dessus ; être musclé, mais aucunement attentionné envers toi (il ne bichonne que ses muscles) ; être beau comme un acteur de cinéma, mais qui aime que les autres (filles, surtout) le remarquent ; ne jamais t'écouter lui raconter ta journée ; ne pas aimer tes amies, etc. Ouvre-toi aussi à un gars aux cheveux bruns et aux yeux bleus, un peu moins fort, mais qui t'écoute et partage des bouts de sa vie avec toi !

Princesse, l'amour, c'est un élan ! Une force que tu ressens en dedans de toi. Pas un test dans un magazine. C'est un frisson encore inconnu qui te surprend... Arrête d'analyser les gars quand tu es avec eux, guette plutôt les papillons dans ton ventre. Ça, c'est un meilleur signe !

Prescription humoristique

Parle à deux gars aux yeux bruns, deux gars aux cheveux noirs, deux gars aux cheveux bruns et deux gars aux yeux bleus.

Biscuit chinois

Les papillons trouvent toujours le bon chemin.

Lettre 5

En direct du divan rose

Mon chum m'a laissée. J'ai tellement de peine. Je pleure chaque soir dans mon lit, toute seule. Je ne veux plus retomber en amour. Jamais. Jamais.

Doudou

Coucou, Doudou,

Peut-être que tu vas déjà mieux aujourd'hui. Une peine – n'importe laquelle – ne dure jamais toute la vie. Mais pour réduire son intensité – malheureusement, il n'y a pas de « piton » comme pour baisser la chaleur d'un four –, il y a quelques trucs.

• En parler : Trouve une amie en qui tu as confiance, qui a une bonne oreille (même deux, c'est mieux !) pour t'écouter, une épaule (pour t'y appuyer pour pleurer !) et… une énorme boîte de papiers-mouchoirs. Tu sais, chaque fois que tu racontes ton histoire, tu libères des émotions. Tu ressens donc la peine de façon moins intense !

• Écrire : Super ! Tu as déjà écrit une lettre à « En direct du divan rose », c'est un bon début ! Continue à noter comment tu te sens, ce que tu observes, ce qui a changé, ce que tu penses, etc. Plus tu écris, plus tu vois clair. Et plus ta peine diminuera, aussi.

• Te changer les idées : Et pour cela, tes amies sont les meilleures pour t'aider ! Remets du « oumpf » dans ta vie en petite ou grande dose. Pars un grand projet un peu fou avec tes amies (un groupe de musique, par exemple !) ou fais de petites actions en solo (mets du vernis de couleurs différentes sur chacun de tes ongles !).

Prescription humoristique

Rire obligé au moins trois fois par jour. Aussi, cela veut dire bannir pour quelque temps les films romantico-dramatiques et toute autre chose qui te font dépenser des fortunes en papiers-mouchoirs.

Biscuit chinois

Pour affronter la montagne, c'est toujours mieux de commencer par faire un pas par en avant.

Lettre 6

En direct du divan rose

J'aime K, mais elle ne le sait pas encore. Comment le lui dire ? Quand elle est là, on dirait que je me transforme. Je reste figé, je bafouille, je rougis, j'ai l'air d'un épais et je finis par partir... Pourtant, je ne suis pas comme cela, d'habitude. C'est tout le contraire de moi. Finalement, c'est peut-être un signe qu'elle ne m'aime pas ou que moi non plus...

A

C'est un signe, A, un vrai ! Tu as raison ! Mais ta déduction n'est pas la bonne. C'est un signe que tu l'aimes et que K te fait de l'effet. Autrement, tu ne serais pas autant à l'envers. Alors, go ! Agis ! Tu te dis : « C'est bien beau, mais comment ? », alors voici deux étapes faciles.

Étape 1 : Action !

D'abord, le pire qui peut arriver c'est de rester figé. Tu l'as dit toi-même, tu as l'air idiot quand ça arrive ! Alors, il faut que tu restes en action. Bouge en lui parlant. Tout le temps (pas exagérément quand même !).

Si tu la croises dans le corridor, souris-lui simplement sans lui parler et continue ton chemin. Si elle s'affaire dans son casier, souhaite-lui simplement une bonne journée en la saluant de la main ou en faisant un signe de la tête. Si tu ne te sens pas prêt à l'aborder, continue ton chemin. Déjà, peu à peu, tu te sentiras plus en confiance, tu n'auras pas eu l'air épais et elle t'aura vu ouvrir la bouche pour lui dire quelque chose. Bons points pour toi !

Étape 2 : Planification

Tu ne peux pas rester à la première étape trop longtemps, alors avant d'aller lui parler plus longuement, pose-toi quelques questions. Où lui parleras-tu ? Seul ou avec des amis ? Quels sujets aborderas-tu ? Qu'est-ce qu'elle aime ? Que lui proposeras-tu comme activité ?

Visualise comment tu aimerais que se déroule cette première vraie jasette où tu n'aurais pas l'air idiot. Repasse ce scénario dans ta tête comme si c'était un film. Une fois la glace brisée, tu n'auras plus à faire ce plan mental, mais d'ici là, refais cet exercice autant de fois que tu en auras besoin. Visualiser, ça permet de voir plus loin et de prendre confiance en toi. Tu peux voir ce que tu dois faire et ce que tu ne dois pas faire. C'est comme une pratique !

Bonne chance !

Prescription humoristique

En cachette (bien sûr), pratique-toi devant un miroir ! Ça aide toujours (et tout le monde a déjà fait ça !).

Biscuit chinois

Tu es le plus grand acteur de ta propre vie.

En direct du divan rose

Mon problème ? Je suis ordinaire. Ni totalement laide ni totalement belle. Mais bien moins jolie, par contre, que l'ensemble de toutes les filles de ma classe. Je n'ai rien de spécial. Je ne suis jamais la meilleure ni la plus poche dans tout ce que je fais (sports, activités parasco, école, etc.). Je suis « commune ». Je n'ai rien de spécial, rien qui se remarque. Parfois, on dirait que je suis transparente. Comment veux-tu qu'un gars, un jour, me remarque ?

P

Salut, P,

Ordinaire ? Banale ? C'est ton opinion ! Ce n'est probablement pas ce que pensent tes amis ! Tu sais, pour que les autres te remarquent, il n'y a pas que la beauté ! Et puis, une beauté qui « flashe » trop cache souvent une personnalité fade ou quelqu'un qui n'a rien à dire. Toi, tu sembles faire toutes sortes d'activités. Profites-en ! Parles-en ! Ce que tu fais, ce que tu découvres et ce que tu aimes, ça intéresse les autres ! Ça te rend spéciale ! Tu as sûrement plein de choses à raconter, alors vas-y ! Et tu sais quoi ? Les gars aiment bien les filles qui ont plein de projets et qui ne font pas juste être belles.

Puisque tu sembles vouloir un truc pour qu'on remarque plus ta beauté, en voilà un. Tu as sûrement un atout physique que tu aimes : la couleur de tes yeux, par exemple. Alors mise dessus ! Mets tes yeux en valeur ! Trouve des façons de les rendre encore plus éblouissants ! Choisis des couleurs de chandail qui les font ressortir. Maquille-les un tout petit peu pour qu'on les remarque.

Dernière chose : être belle, c'est d'abord être toi ! N'essaie pas de copier les autres ! Suivre la mode ? Non ! Crée-la ! Tiens, une autre idée : fabrique des chandails sur lesquels tu inscriras des messages rigolos ou qui font réfléchir. Une autre façon de t'exprimer, d'être originale et d'être toi !

Prescription pour aller mieux

Fais une liste de cinquante choses à ton propos. Ce que tu aimes, ce que tu détestes, des infos sur toi, ce que tu penses, etc.

Biscuit chinois

Traverse ton miroir et donne la main à la nouvelle toi !

Lettre 8

En direct du divan rose

En amour, est-ce qu'on peut se tromper ? Est-ce qu'on peut réaliser qu'on n'est pas vraiment en amour ? Même quand tout semble bien aller. Même quand on a un amoureux gentil. S'il vous plaît, j'ai besoin d'aide. Je n'y vois plus clair.

Méli-Mélo

Chère Méli-Mélo,

Tu as l'impression (peut-être) d'être assise dans un manège qui ne s'arrête pas et qui tourne sans cesse ? En amour – comme dans n'importe quoi : l'école, les amis et plus tard le travail –, tu peux ressentir des signaux d'alarme. Il faut être à l'écoute. Ils ne sont pas bruyants comme une alarme d'incendie. Ils sont à peine perceptibles au fond de toi. C'est une sensation floue, un brouillard dans tes idées et une émotion que tu ressens de plus en plus souvent sans pouvoir la nommer. Certains appellent cela « l'intuition ». Ce sont tous des signes qu'il faut écouter ! Oui, tu peux te tromper en amour ! Oui, tu peux avoir cru que c'était de l'amour alors que finalement ce n'est pas cela ! Et cela ne veut pas dire que tu n'es pas sincère. Avouer qu'on s'est trompé, qu'on a fait une erreur ou essuyer un échec ne sera jamais jamais simple ! J.a.m.a.i.s. Pourtant, on a tous le droit de se tromper, de faire une erreur, de tomber… Ensuite, tu te sentiras tellement mieux ! Comme si on avait enlevé huit éléphants qui s'étaient ramassés sur tes épaules ! Tu vas te sentir libre… et toi ! Et puis, après tout, l'important est de se relever et de continuer à avancer.

Tu sais, se tromper de choix ou de chemin, c'est plate. Mais ce qui le serait encore plus, c'est de te tromper TOI. Si tu persistes à essayer de croire que c'est de l'amour, tu joues un personnage. Tu n'es plus vraiment toi ! Te tromper toi, c'est ne pas écouter ces signaux qui t'avertissent que tu n'es peut-être pas dans la bonne voie. Te tromper toi, c'est aussi tromper ton amoureux et ceux que tu aimes. Et ce n'est pas ce que tu veux, n'est-ce pas ?

Méli-Mélo, la vie n'est pas simple. On a plein de choix à faire. Fie-toi à ton instinct, à ton intuition, à ton petit doigt magique, peu importe comment tu l'appelles. Et surtout, continue à écrire. En te relisant, tu verras combien tu as changé et comment tes routes te mènent… droit vers la vraie de vraie toi !

Prescription humoristique

Note dans un cahier ce que ta petite voix, ta conscience ou ton intuition te dit. Écris-lui une lettre. Pose-lui des questions. Ensuite, deviens cette petite voix et réponds-toi toi-même. Tu seras étonnée de voir que tu as les réponses à tes propres questions.

Biscuit chinois

Les mots chassent le brouillard.